BETI A'I PHOBOL – 1

Beti a'i Phobol – 1

Golygydd: Ioan Roberts

Argraffiad cyntaf: 2002

ⓑ *Gol. Ioan Roberts/Gwasg Carreg Gwalch*

Rhif Llyfr Safonol Rhyngwladol:
0-86381-810-2

Cyhoeddir o dan gynllun comisiwn
Cyngor Llyfrau Cymru.

Cynllun clawr: Dylan Williams

Diolch i adran y wasg, S4C am gymorth gyda lluniau
rhai o bobol Beti ac i adran y wasg, Radio Cymru
am luniau o Beti ei hun.

Argraffwyd a chyhoeddwyd gan Wasg Carreg Gwalch,
12 Iard yr Orsaf, Llanrwst, Dyffryn Conwy, LL26 0EH.
℡ *01492 642031*
🖷 *01492 641502*
✆ *llyfrau@carreg-gwalch.co.uk*
Lle ar y we: www.carreg-gwalch.co.uk

Cydnabyddir yn ddiolchgar dderbyn caniatâd
gan y BBC i ddefnyddio tapiau o'r rhaglenni
er mwyn paratoi'r gyfrol hon.
Diolch arbennig i Tomos Morse, cynhyrchydd
gyda Radio Cymru am gydweithrediad a chymorth
arbennig wrth lywio'r gwaith drwy'r wasg.

Cynnwys

Cyflwyniad

Gorffennais ddarllen proflenni'r gyfrol hon dan haul crasboeth Medi yn Samos. A do, cefais fwynhâd. Roeddwn wedi amau a fyddai'r gair llafar yn cyfieithu'n effeithiol air ar bapur. Ond, dwy'n meddwl ei fod. Yn ddiamau i Ioan Roberts a'i grefft fel golygydd y mae'r diolch am hynny.

Ac i Meirion Edwards golygydd Radio Cymru nôl yn 1984, a'r cynhyrchydd ar y pryd, Lowri Gwilym, y mae'r diolch fod yna gyfrol o gwbwl! Cyndyn oeddwn i i ymgymryd â chyfres radio wyneb yn wyneb. Nhw oedd yn iawn!

Ac i'r cynhyrchwyr dros y blynyddoedd – rhy niferus i'w henwi i gyd – mae 'nyled i'n fawr. Fuse Job ei hun ddim yn gallu cystadlu â nhw!

Mor ddifyr yw sgwrs y deg yn y gyfrol hon. Pob un â dawn dweud arbennig. A pha mor gynyddol afresymol yw'r cwestiwn a ofynnir i mi – 'o'r holl bobl 'rych chi wedi eu holi, p'un sy' wedi rhoi'r wefr fwya' i chi'.

Am y prifardd T. Llew Jones – yr athrylith o athro – oedd yn gwybod yn iawn ystyr 'ehangu gorwelion' – gallwn wrando arno am oriau dibendraw! Anghyfarwydd i mi oedd bywyd sipsi ond, trwy lygaid llafar Eldra Jarman, fe gododd ryw hiraeth am ramant rhyddid ei phobl. Mor gryf yw'r ysfa yn Ali Yassin i ddod i wybod mwy am ei wreiddiau yn Somalia. Ond cymaint o bleser hefyd yw cwrdd ag e ar achlysuron arbennig yn ysgol Gymraeg Pwllcoch yn y brifddinas, lle mae ei ddwy ferch, a Manon fy wyres i, yn ddisgyblion.

Agoriad llygad oedd rhannu profiadau'r cerddor Wynford Jones. Shwt allai rhywun sy'n ymwneud â bocsio fod mor addfwyn? Gwrthgyferbyniad llwyr oedd ceisio taclo Orig Williams – boi addfwyn arall!

Roedd gwrando ar Meima Morse, Clive Rowlands a Mel Fôn yn falm i'r enaid. Y tri wedi wynebu diwedd y daith ar y ddaear yma. Mor felys nawr yw pob cam iddyn nhw; mor werthfawr yw bywyd. Yn Efrog Newydd, drwy lygad ei gamera fe wynebodd Mel Williams yntau angau – angau dychrynllyd Medi 11. Yn ei gwmni yn y ddinas, fis wedi hynny, roedd hi'n amlwg bod cael siarad am ei hunllefau yn ryddhad iddo, er bod y dagrau'n cronni'n hawdd wrth gofio am ei blentyndod diniwed a dedwydd yn Llandygái.

O'r deg, R.S. Thomas oedd yr her mwya. Roedd Menna Gwyn, y cynhyrchydd ar y pryd, a minnau mor gyfarwydd â'r llun ohono gyda'r wyneb sarrug yn edrych allan dros yr hanner drws stabal yn ei gartre ym Mhen Llŷn. Paratois yn fwy manwl nag arfer. Darllen rhan fwya o'i gerddi hyd yn oed! Ond diolch i'r drefn, o'r funud y cwrddes i ag e, synhwyrais y buasem yn deall ein gilydd. Synnaf wrth ddarllen y sgwrs, i mi fod mor herfeiddiol bersonol yn fy ngwestiynau! Gwerthfawrogaf yn fawr y nodyn caredig a gefais ganddo wedi'r achlysur.

Cefais bleser mawr yn f'atgoffa fy hun o'r sgyrsiau. Ac roedd hi'n ollyngdod hefyd cael tystiolaeth ar bapur yn cadarnhau nad sebon di-sail oedd gorffen pob sgwrs gyda'r geiriau – 'Mae hi wedi bod yn bleser cael eich cwmni chi'.

Beti George

'Os yw'r canu'n dda mae'r chwarae'n dda hefyd'

Clive Rowlands

Dyn rygbi

Darlledwyd: 21 Mawrth, 1996

Cerddoriaeth:
1. *Cytgan y Pererinion:* Côr Meibion Ystradgynlais
2. *Ble cest ti'r ddawn:* Ryan Davies
3. *Dyffryn Tywi:* Côr Telyn Teilo
4: *You're simply the best:* Tina Turner
5. *Yma o hyd:* Dafydd Iwan ac Ar Log

Beti George:

*Bachan o Gwm Tawe sy'n gwmni imi heddi. O Gwm-twrch –
Ucha wrth gwrs! Mae e wedi mynd trwy hen gyfnod digon
ddiflas yn ddiweddar, byth ers iddo gael gwybod bod gydag e
ganser. Ond wedyn fe fuodd e trwy brofiad digon tebyg hanner
can mlynedd yn ôl. Fel mae e'i hunan wedi dweud, 'Yn saith
mlwydd oed fe ges i TB. Yn hanner cant a saith mae gyda fi
ganser. Ond yn y canol rwyf wedi cael hanner can mlynedd o
rygbi.' Ond mae 'na un peth rwy'n siŵr amdano. Fe wneith e
wynebu'r gelyn hwn gyda'r un math o benderfyniad ag oedd yn
'i nodweddu pan fydde fe'n llorio'r gwrthwynebiad ar y cae
rygbi. Ac fe wnaeth hynny fwy nag unwaith ar ei ben ei hunan
. . .*

*Fe fu'n chwarae dros Gymru am dair blynedd, yn gapten ym
mhob gêm, wedyn fe fu'n hyfforddi'r tim am chwe blynedd –
does neb wedi curo'r record honno. Am ddeuddeng mlynedd fe
fu'n un o'r sanhedrin oedd yn dewis y tîm. Bu'n rheolwr ar y
tîm, ac yna bu'n llywydd Undeb Rygbi Cymru. Dyw hi ddim
yn bosib meddwl am rygbi yng Nghymru heb grybwyll yr enw
Clive Rowlands. Mae'n braf iawn cael eich cwmni chi Clive.*

Clive Rowlands:

Mae'n bleser bod yma Beti.

*Wel fe aeth y genedl yn wyllt dydd Sadwrn dwetha pan enillon
ni'r gêm 'na yn erbyn Ffrainc!*

Roeddwn i'n un o'r genedl a aeth yn wyllt hefyd. 'Na pa
mor neis oedd e i weld Cymru unwaith eto'n ennill gêm
yn erbyn tîm mawr fel Ffrainc.

Un peth pwysig amdano fe, maen nhw wedi cael y galon nôl ond ŷ'n nhw. Roedden nhw'n chwarae 'da'r galon.

Rwy'n credu bod y chwaraewyr sydd wedi chwarae dros Gymru yn ystod yn blynyddoedd diwetha i gyd wedi chwarae gyda'r galon, ond pan wyt ti'n cael y genedl tu cefen iti mae hynny'n gwneud i'r galon fynd tipyn bach yn well. Ein tuedd ni yng Nghymru yw, pan ŷ'n ni'n colli dy'n ni ddim yn colli'n rhy dda. Dyna pryd mae isie help arnot ti. Mae'n ddigon rhwydd i ganu pan ŷ'n ni'n ennill ond mae isie' help 'na pan wyt ti'n colli hefyd. A rwy'n falch nawr bod nhw'n dechrau dod nôl ar y brig.

Ond dyw e'n beth od bod rhyw hen gêm bach o rygbi fel hyn mor bwysig. Os ŷ'n ni'n ennill ry'n ni ar ben ein digon ond os ŷ'n ni'n colli ry'n ni reit ar y gwaelod. A dim ond gêm yw hi!

Dim ond gêm yw hi ond rwy'n siŵr, bore dydd Llun yn y gwaith ar draws y wlad i gyd roedd pobol yn mynd i mewn i'r gwaith â gwên fawr hapus ar eu hwynebau. Ac os yw rhywun yn hapus, maen nhw'n gweithio tamed bach mwy caled hefyd! Ac mae'r un peth yn wir am brofiadau bywyd. Os wyt ti'n hapus rwyt ti'n dod drwyddyn nhw'n llawer gwell.

Wrth gwrs ry'ch chi wedi cael yr OBE.

OBE, ie! Sdim rhaid i fi ddweud beth mae OBE'n sefyll amdano fe, elli di weithio hynny mas yn gelli di.

Beth yw e nawr? Na, ddwedwn i ddim. Ond roedd e'n bwysig i chi?

O oedd. Nage fi oedd yn ei gael e. Rygbi Cymru oedd yn ei gael e – dyna oedd y peth pwysig. A mae'n neis i weld Cymro'n cael mynd i lefydd lle mae Saeson yn cael mynd yno hen ddigon. Ro'n i'n falch o weld rygbi Cymru a'r genedl gyfan yn cael rhywbeth.

Oes gyda chi ddiddordeb yn rhywbeth arall heblaw rygbi?

Oes, fy ngwraig a'r plant, a Cwm-twrch yn gyfangwbl!

A pêl-droed.

Pêl-droed, ie. Unrhyw chwaraeon, waeth beth mae Cymru'n wneud rwy'i am iddyn nhw ennill ac am iddyn nhw wneud yn dda. Meddylia di am Lyn Davies. Er nad oedd e'n chwarae rygbi i Gymru, fe, i mi, oedd yr enw mwya sydd wedi dod o Gymru erioed.

O safbwynt rygbi nawr, mae'r monopoli wedi bod gyda'r De. Pam?

Wel beth arall allet ti wneud yn y De? Maen nhw'n gallu mynd lan y mynyddoedd yn y Gogledd! Na, cael dy gwmni yn y De, a rwy'n credu taw gêm y coliers oedd hi, yn y pentrefi. Roedd hi fel brwydr rhwng dau bentre. Cefneithin yn erbyn y Tymbl. Cwm-twrch yn erbyn Cwmllynfell. Roedd hi fel rhyw eisteddfod fawr bob dydd Sadwrn.

Ond wrth gwrs, eithriad oedd Dewi Bebb, [y cyn-asgellwr a fu farw'n 58 oed yn 1994].

14

Do fe ddaeth Dewi trwyddo o'r Gogledd. Ffrind da i fi. Roedd Dewi'n un o'r rhain dorrodd trwyddo yn lle bod y De'n cael popeth. Ac i feddwl taw dim ond pump gêm oedd e wedi'u cael i Abertawe, ac yn chwarae yng Ngholeg y Drindod. Ac i feddwl bod e'n gallu chwarae i Gymru. Mae hynny'n dangos bod rhywbeth sbesial obeutu Dewi Bebb. Rwy'n sôn am gymdeithas Gwmrâg . . . wel roedd Dewi'n gymdeithas Gwmrâg ynddo'i hun, nid dim ond yn ei iaith ond ffordd oedd e'n cerdded, popeth oedd e'n wneud, roedd e'n gwneud popeth yn naturiol Gymreigaidd. Roedd Dewi'n ffrind i fi ac yn fwy na hynny, fel ry'n ni'n dweud yng Nghwm Tawe roedd e'n ffrind sbesial.

Ond mae'n dal yn beth od ond yw e na fuase rhagor wedi dod o'r Gogledd i chwarae rygbi. Rwy'n meddwl nawr am Seland Newydd a'r Crysau Duon. Ffermwyr mawr cyhyrog. Pam nad yw'r un peth yn digwydd yng Nghymru?

Maen nhw i ryw raddau. Rwy'n cofio dweud pan oeddwn i lan yn y Gogledd ugain mlynedd nôl 'mod i'n gobeithio y byddai llawer mwy o chwaraewyr yn dod trwyddo o'r Gogledd. Gobeithio do'n nhw o nawr mlân, achos mae llawer mwy'n chwarae rygbi yn y Gogledd nawr na beth oedd 'na hanner can mlynedd nôl. Mae 'na rai chwaraewyr da'n dechre dod o'r Gogledd.

Beth am fiwsig nawr te Clive. Oes gyda chi ddiddordeb?

Oes. Rwy'i wedi dweud bob amser, os yw Cymru'n canu'n dda maen nhw'n chwarae'n dda hefyd. A bob taith ble'r o'n i'n mynd gyda tîm Cymru fel capten a fel hyfforddwr, rwy'n cofio'n nêt, roedd côr 'da ni bob amser. Dim ond pum munud bach bob diwrnod o ganu 'da'n gilydd, ac os oedd y canu'n dda roedd y chwarae'n siŵr o fod yn dda hefyd. Rwy'i wedi bod yn siarad gyda John Dawes a Tony Gray, fel hen hyfforddwr i Gymru, ac yn dweud wrth y ddau ohonyn nhw, am iddyn nhw ddod yn ôl â chanu caneuon Cymraeg, achos fyddwn ni'n well chwaraewyr o achos hynny.

Pam y'ch chi wedi dewis Côr Meibion Ystradgynlais?

Yn gynta oll, ga'th y darn hyn ei sgrifennu gan Daniel Protheroe, a Daniel Protheroe oedd enw Dad-cu. Nid yr un Daniel Protheroe ond dyna oedd ei enw fe. Hefyd mae 'mrawd-yng-nghyfraith, Gareth yng Nghôr Ystradgynlais, a'i fab e, Alun Wyn. A'r arweinydd Leighton Jenkins – fe oedd yn fy nysgu fi yn yr ysgol yn ôl yn y pumdegau, a beth wnaeth e i fi nad oedd neb arall wedi'i wneud cyn hynny oedd gwneud i fi gymryd diddordeb mewn miwsig. Fe wnaeth e hynny mewn ffordd syml trwy ddod â'r caneuon oedden nhw'n ganu ym Mharc yr Arfau i mewn i'w wers fiwsig e.

* * *

Yng Nghwm Twrch Ucha y cawsoch chi'n geni a'ch magu. Ry'ch chi yno o hyd. Er ichi fod bant am gyfnod yn do fe?

Do, bues i'n dysgu ymarfer corff am bedair blynedd mewn ysgol o'r enw Coedefa yng Nghwmbrân. Roeddwn i'n mwynhau byw yn yr ardal honno yn Sir Fynwy, a chwarae rygbi i Bont-y-pŵl yr un pryd.

A'r Llu Awyr am gyfnod wrth gwrs.

Do, ges i ddwy flyndd fan hynny ond wy'i ddim yn gwybod beth oeddwn i'n wneud yno. Oedd dim siâp arna' i'n martsio. Ar y parêd ro'n i'n dodi pawb arall mas. Fues i ddim llawer mewn awyren chwaith, i gyd oeddwn i'n wneud oedd chwarae rygbi.

Ond fuoch chi bant hefyd pan oeddech chi'n saith oed.

Do. I feddwl nawr bod Gwyneth Jones [y gantores] yn mynd i brynu rhyw dŷ newydd yn Craig-y-nos. Bues i'n byw 'na am flwyddyn fach. TB oedd arna' fi. Ond dyna ble ges i fy mhêl rygbi gynta. Bachan oedd wedi bod yn y *concentration camp* mas yn yr Almaen, daeth e'n ôl gartre pan oeddwn i yn yr ysbyty yn Craig-y-nos, a ddododd e bêl rygbi i fi. Buodd hi 'da fi am bum munud a wedyn aeth hi trwy'r ffenest fawr. Felly roedd y bêl rygbi'n gorfod mynd gyda Mam gartre i Gwm-twrch yn lle bod gyda fi yng Nghraig-y-nos.

A'r TB 'ma wedyn; roedd hwnnw'n beth cas i'w gael ond oedd e?

Oedd. Roedd fy chwaer yn yr ysbyty gyda fi a marws hi yn bedair ar hugen mlwydd oed. Fy chwaer Megan. Amser trist iawn mewn bywyd achos roedd fy chwaer arall yn yr ysbyty hefyd. Ond mae e'n dy wneud ti'n gryf iawn pan mae teulu yn sâl. Daeth fy chwaer yn fenyw gryf iawn a 'drychodd hi ar 'yn ôl i; roedd hi'n llawer henach na fi. Edrychodd hi ar fy ôl i fel Mam, a wnaeth hi lot i fi.

A fuoch chi yn Llandrindod am flwyddyn hefyd.

Do. Oeddet ti'n cael blwyddyn yng Nghraig-y-nos a wedyn blwyddyn yn Llandrindod i dy wneud ti'n fwy o fachan. Os oeddet ti'n cael dwy daten yng Nghraig-y-nos, roeddet ti'n cael chwech yn Llandrindod. Roedd rhaid iti ddodi pwyse arnodd. Os oeddet ti'n dodi pwysau arno roedd hynny'n meddwl yr amser hynny bod ti'n gwella. Os oeddet ti'n colli pwysau roedd hynny'n ofnadw. Saith taten y diwrnod wedi hynny!

Pa driniaeth arall oedden nhw'n roi ichi?

Awyr iach. Ffenestri ar agor bob amser. Cerdded llawer a gwneud lot o ymarfer corff a chwaraeon. Bois o Blaengwynfi a'r ardaloedd hyn oedd gyda ti. Roeddwn i wedi cael fy nghodi i fod yng nghanol pobol yn ifanc iawn a roedd hynny'n help mawr i fi pan ddaetho' i'n gapten.

Roedd eich rhieni'n gorfod dod i'ch gweld chi yn Llandrindod oedden nhw?

Y peth neis abouti Cwm-twrch, rywbeth nagw i'n gallu'i anghofio, falle unwaith y mis bydde llawn bwsed o bobol yn dod i dy weld ti. Falle bydden nhw'n galw i gael peint ar y ffordd lan a galw i gael deg peint ar y ffordd nôl! Ond roeddet ti'n cael bysed o bobol y pentre'n dod i weld bachan oedd yn yr ysbyty.

Dim rhyfedd bod chi'n meddwl cymaint o'r ardal. Ond wedyn fe fu farw'ch tad.

Pan ddaetho i mas o'r ysbyty fe fu farw Nhad. Roeddwn i'n ddeg mlwydd oed. Dyna pryd daeth fy chwaer hena i mewn.

Beth oedd ei waith e gyda llaw?

Colier oedd e yng ngwaith Brynhenllys. Mae sôn wedi bod nawr am yr opencast yn dod i Brynhenllys. Fan'ny oedd Nhad yn gweithio. Un o'r bobol oedd yn gweithio 'da Nhad oedd tad Allan Lewis nawr, dewiswr Cymru. Wil Dai, roedd e'n gweithio gyda Nhad.

Beth y'ch chi'n feddwl am y glo brig sy'n dod i'r ardal 'ma?

Mae'n beth ofnadwy pan y'ch chi'n newid y wlad ry'ch chi'n edrych arni 'ddi. Ond ar yr un pryd mae e 'na. Fy ateb i yw cael mas ohono fe gymaint a gelli di, ac os yw e'n mynd i wella'r ardal wedi hynny, gorau oll. Mae glo carreg Cwm Tawe wastad wedi bod yn lo da, a maen nhw'n mo'yn e dros y byd i gyd.

Pam y'ch chi wedi dewis Ryan ar gyfer eich record nesa?

I fi, y tu fas i chwaraeon, Ryan oedd y person mwya pwysig sydd wedi bod yng Nghymru erioed! Pan wyt ti'n cael person fel hwn yn gallu gwneud pobol i werthin, ac yn gallu canu a chwarae'r piano a'r delyn, ac eto pan oeddet ti'n cwrdd ag e roedd e wastod yr un peth. 'Shwd wyt ti boi?' medde fe. Roedd y ddawn yna gydag e i wneud i pwy bynnag oedd e'n siarad gydag e i werthin. Roedd e'n golled fawr iawn i Gymru. Meddylia di am S4C yn dod, beth fydda'i ddawn e nawr i bobol y wlad. Roedd diddordeb ganddo fe mewn person fel fi oedd yn chwarae rygbi yn gwmws fel roedd diddordeb gyda fi ynddo fe. Wy'n meddwl amdano fe a Dewi [Bebb] gyda'i gilydd rywfodd. Dau roedd pawb yn hoff iawn ohonyn nhw.

* * *

Aethoch chi i ysgol gyfun Maesydderwen, Ystradgynlais. Doedd dim llawer o'r rheiny i'w cael yr adeg honno oedd e?

Ie, dyma un o'r rhai cynta yn y wlad. Newid o ysgol ramadeg i ysgol gyfun. Roedd hynny'n brofiad mawr, llawer mwy o blant yn dod i'r ysgol. Ond welais i fe'n ddim problem o gwbl. Roedd yr ysgol gyfun yn ysgol dda.

Roeddech chi wedi cael eich addysgu yn ystod y cyfnod yn yr ysbyty a llefydd fel hyn oeddech chi?

Oeddet ti'n cael rhywfaint. Dim llawer, dyna pam oeddwn i mor dwp yn yr ysgol! Fe ges i rywfaint ond dim digon. Rwy'n cofio yn Llandrindod, roedd ysgolfeistr yno, roedd disgyblaeth dda gydag e. Dyna un peth am fod yn sâl, mae'n rhaid i ti gael disgyblaeth cyn bod ti'n gwella.

Ac fe gawsoch chi fynd i Dde Affrica a chithau yn yr ysgol.

Do. A doeddwn i ddim wedi bod yn bellach na Barri ar drip ysgol Sul Ebenezer cyn hynny! Nid yn unig cael chwarae rygbi yno, ond y daith ei hun mas yno ar y bad. Roedden ni'n hala pythefnos i gyrraedd Cape Town, chwarae yno am fis, a pythefnos yn ôl. Dyna'r math o daith y bydde pawb yn dwli cael mynd arni. Rwy'n cofio rhai o'r bechgyn oedd gyda ni, fel John Edgar Williams o Frynaman ac Alan Rees o Bort Talbot, chwaraewyr dawnus iawn, roedd cael mynd mas i rywle fel hyn yn rhywbeth sbesial. Nage aros mewn gwesty yn Ne Affrig oedden ni ond aros gyda teuluoedd. Ac anghofia i byth, yr unig adeg oedden ni'n gweld person du oedd pryd oedd e'n gweithio o amgylch y tŷ neu yn y gegin. Roedd e'n brofiad arbennig i fachan ifanc deunaw mlwydd oed. Yr unig berson du oeddwn i wedi'i weld cyn hynny oedd coliar. Ond 'sdim gwahaniaeth rhwng lliw sy'n dod o lo a'r lliw mae pobol yn cael eu geni. Mae pawb yr un peth. Fe deimlais i hynny siwrnai gyrhaeddes i Dde Affrica. Ond ar yr un pryd roedd y gyfraith yno'n un gryf iawn, a pwy oeddwn i, fachan ifanc o Gwm Tawe, i amau pethe. Ond amau wnes i, yn fy meddwl, am sbel fawr.

Ac ar ôl hynny hefyd?

Blynyddoedd wedi hynny, ie.

Achos dyna'r feirniadaeth fawr oedd yna am bobol rygbi yr adeg honno ondefe, pan oedd yna gymaint o ddadlau am fynd i Dde Affrica neu beidio. Bod rygbi wedi mynd yn bwysicach nag egwyddor, neu gyfiawnder hyd yn oed.

Ie ond mae'n rhaid dweud nawr, roeddwn i wastad am fynd i Dde Affrica bob amser yn fy mywyd. Achos roeddwn i'n credu mewn adeiladu pontydd, nage'u bwrw nhw i lawr. Ond fe ddaeth amser yn fy mywyd i yn rygbi pan oedd y bont yn cael ei bwrw lawr, a'r adeg hynny ro'dd rhywun yn gorfod dweud Na. Ond rwy'i rioed wedi credu, ta beth yw pobol mae rhaid i ti fynd mas i drio gwneud rhywbeth ambothdi fe. Ac os oeddwn i'n gallu gwneud rhyw ddaioni i ryw berson roeddwn i'n meddwl 'mod i wedi gwneud y peth cywir. Ond pryd wyt ti'n gweld y pontydd yn cwympo lawr yng Nghymru o achos hynny mae rhaid i ti feddwl ddwywaith wedi hynny.

I ddod yn ôl at daith yr ysgolion, sut chwaraeoch chi?

Fe dorres i'n ysgwydd yn yr ail gêm. Wn i ddim i bwy roedd e'n waetha, fi neu John Edgar. Roedd ei figwrn e wedi torri. Ond fe chwaraeodd y tîm yn dda. Chwaraeon ni wyth gêm, ac mae rygbi ysgolion wastod yn gry iawn yn Ne'r Affrig. Enillon ni chwech ac un gêm yn gyfartal ond fe gollon ni'r gêm gynta, achos y teithio mas rwy'n credu.

Fuoch chi'n gapten ar dîm Cymru yn ddiweddarach am dair blynedd. Dod yn aelod o'r tîm ac yn gapten yn syth. Mae'n amlwg bod gyda chi ddawn i arwain pobol, Clive?

Dwi ddim yn gwybod pam cofia. Ond roeddwn i'n gapten yn y coleg hyfforddi yng Nghaerdydd, yn yr un tîm â Dewi Bebb. Ro'wn i'n lico bod yn gapten a cael dweud wrth bobol beth i'w wneud neu beth ddim i'w wneud. Y ddawn oedd gyda'r bechgyn eraill oedd i beidio gwrando! Rown i'n gapten ar y diwrnod cynta gyda Dai Watkins, fi'n fewnwr a fe'n faswr. David yn fachan ifanc, ddim yn ugain mlwydd oed, ac roedd e'n edrych arno i fel ei frawd hena. Jobyn fwya mewnwr yr amser hynny oedd edrych ar ôl ei faswr. Ro'n i'n hoff iawn o fod y *boss*, a ges i'r enw

Topcat o achos hynny. Achos roeddwn i'n tueddu i fod damed bach yn *bossy* ar y cae hefyd.

Ond fe gaethoch chi gyfnod go lwyddiannus, enilloch chi'r goron driphlyg.

Rwy'n cofio'n nêt un gêm yn erbyn Iwerddon. Roedd pethe'n ffyrnig ar ddechre'r gêm. Roedd y traed yn symud, roedd y dwylo'n symud. A dyma'r dyfarnwr yn galw'r ddau gapten, Ian McLoughlin a finne, at ein gilydd. Pan mae hynny'n digwydd mae rhywbeth mawr yn bod. A dyna i gyd ddwedodd e oedd nad oedd e ddim yn hapus am beth oedd yn mynd ymlaen, ac y bydda'r person nesa oedd yn troseddu yn gorfod mynd *off* y cae. Dyma'r ddau ohonon ni'n mynd yn ôl wedyn. McLoughlin oedd un o flaenwyr Iwerddon, ac oedd problem fawr gyda fe, achos roedd e'n un o'r troseddwyr, fe alle fe gael ei hala bant ei hunan. Doedd y dyfarnwr ddim am fy hala fi *off*, fel mewnwr. Yn ôl beth o'n i'n deall wedyn aeth McLoughlin nôl at ei chwaraewyr e a dweud 'Mae problem 'da ni. Unrhyw un fydd yn gwneud rhywbeth mas o'i le, fydd e'n gorfod mynd *off* y cae'. A'r cyfan ddwedes i wrth ein bois ni oedd, 'Dwi'n ffaelu credu'r peth bois. Mae'r dyfarnwr newydd ddweud wrtho i "Duw ry'ch chi'n ware'n dda!" Felly cariwch mlân bois i wneud be chi'n wneud!' Mae'n cymryd dau i ymladd on'd yw hi, felly doedd neb yn ymladd o hynny 'mlaen.

Ond beth am y gêm enwog honno yn yr Alban pan enilloch chi'r gêm ar eich pen eich hunan.

Nôl yn '63 oedd hynny. Gêm bwysig iawn. Cicio, cicio, cicio a cicio! Cyn belled bod rhywun yn chwarae tu fewn i'r rheolau does dim ots. Os yw'r rheolau'n dwp nid fy mai i yw hynny. Roedd y byd wedi mynd yn wyllt bod y gêm wedi cael ei chwarae mewn ffordd fel'na.

Sawl leinowt oedd 'na? Cant ac un ar ddeg?

Cant ac un ar ddeg, a phob un yn un dda! A beth oedd yn dda oboutu fe, rwy'n cofio Leish Davies o Gwm-twrch, oedd yn dysgu yn y Colbren tan yn ddiweddar, a dyma fe'n dweud wrtho i, 'Ti'n gwbod mai dyna'r unig gêm wy' wedi'i gweld yn fy mywyd erioed?' Bachan bach byr oedd Leish, ac roedd y bêl yn yr awyr trwy'r adeg. 'Weles i'r gêm i gyd achos bod ti'n cicio mor dda,' medde fe.

Wrth gwrs, y peth pwysig oedd bod chi wedi ennill y gêm i Gymru.

Chwech pwynt i ddim. Druan o Brian Davies, y maswr. Chath e ddim un pàs trwy'r gêm, a gath e drop! Sori Brian, nage dy fai di oedd e, fy mai i oedd e!

R'ych chi wedi dewis Côr Telyn Teilo fel eich trydedd record.

Nage dynion yw'r Cymry i gyd, mae menywod i gael yma hefyd! Wy'n lico menywod yn canu. Mae fy ngwraig Margaret yn alto ac mae diddordeb mawr gyda hi mewn cerddoriaeth. A mae rhywbeth sbesial obeutu Noel John, yr hyfforddwr. Roedd e'n hyfforddi ac yn arwain ar yr un pryd, a fe oedd yn chwarae'r piano. Felly roedd e'n hyfforddwr ac yn gapten. A mae hynny'n tueddu i'n atgoffa fi amdano i'n hunan yn chware'r gêm. Oedd dim hyfforddwr bryd hynny, felly roedd y capten yn gorfod hyfforddi'r tîm hefyd. Gyda Noel John roedd y lleisiau a'r piano yn un. Felly dyle hi fod gyda rygbi, y capten a'r chwaraewyr yn un. Dyna beth sy'n gwneud tîm llwyddiannus.

* * *

Fuoch chi'n hyfforddi tîm Cymru am chwe mlynedd. Beth oedd yn ypseto chi fwya yn ystod y cyfnod yma? Mae gen i ryw gof nad oeddech chi ddim yn hoffi gweld y chwaraewyr yn cael eu holi gan bobol y wasg a phethe fel hyn.

Dim ond ar y diwedd oedd hynny. Roeddwn i bob amser yn meddwl y dyle pawb gael dod i wylio Cymru. Lawr yn yr Afan Lido byddet ti'n cael y wasg a falle pum mil o bobol acha bore dydd Sul yn watso Cymru'n hyfforddi. Ond dechreuodd rhai o'r chwaraewyr ddweud celwydde. Roedden nhw'n dweud un peth yn un papur a dweud peth arall mewn papur arall. Dyna oedd un o'r rhesymau. Erbyn i ni stopo nhw siarad â'r Wasg, fi oedd cadeirydd yr Undeb Rygbi. Amser wyt ti'n gadeirydd mae'n rhaid i ti fynd gyda'r pwyllgor p'un bynnag wyt ti'n cydfynd â rhywbeth neu beidio. A doedd y mwyafrif ddim am i'r chwaraewyr siarad â'r wasg.

Un peth oedd rhaid i chi wneud fel capten a fel hyfforddwr wedyn oedd gollwng pobol o'r tîm. Oedd hynny'n rhoi dolur i chi?

Oedd bob amser. O'n i'n fachan gwael am wneud hyn.

Gadawes i rai chwarewyr yn nhîm Cymru damed bach yn rhy hir falle, ond roeddwn i'n cymryd pob chwaraewr oedd yn chwarae i Gymru pan o'n i'n hyfforddwr yn ffrind da imi. O'n i'n mo'yn cael y gore mas ohonyn nhw, i fod yn onest gyda nhw ac ar yr un pryd fel part o'r teulu. Mae'n anodd i ddweud rhywbeth drwg am dy fam neu dy dad neu dy frawd neu dy chwaer. Achos bod nhw'n bart o'r teulu roedd hi'n anodd i roi gormod o *telling off* iddyn nhw. O'dd rhai fel Barry [John] yn gwrando dim byd ar be o'n i'n ddweud wrtho fe! Ond cofia unwaith o'n i'n hyfforddi ar y cae ei hunan, o'n i'n gallu bod yn gas iawn.

Rwy'n meddwl nawr am Robert Jones, eich mab-yng-nghyfraith. Mae e wedi cael ei ollwng fwy nag unwaith o dîm Cymru. Ydych chi'n gallu bod yn gefen iddo fe, neu ydi e o natur wahanol i chi?

Beth oeddwn i'n falch ohono fe fwy na dim byd, y diwrnod priodws Robert fy merch i, Megan, o'n i ddim yn ddewiswr o fan'ny 'mlaen. Wedes i wrtho fe, 'Na, byddi di'n whare achos taw ti yw'r gore, nid achos taw fi sy'n dewis y tîm' . Felly fe gwples i fel dewiswr. Ma' fe'n sbesial o fachan, mae dawn arbennig gyda fe, a rwy'n credu bod e wedi cael ei drin yn wael yn y flwyddyn ddwetha. Nid jest bod e ddim yn y tîm ond does neb wedi dweud wrtho fe pam. A mae shwd gymaint gyda fe i'w roi i'r wlad o hyd. Wrth gwrs, mae Robert Howley wedi dod i mewn nawr a wedi chware'n arbennig. Os wyt ti'n gadael rhywun mas o unrhyw dîm rwyt ti'n teimlo'n flin, ond mae rhaid i'r tîm fynd 'mlaen.

Eich cryfder chi oedd eu hysbrydoli nhw ontefe, cyn iddyn nhw fynd mas ar y cae. Eu hatgoffa nhw mai Cymry oedden nhw.

Ie, rwy'n cofio dweud wrth Dai Morris am gofio'i Anti Myfanwy. ''Sdim Anti Myfanwy 'da fi, Clive,' medde fe. 'Ti'n gwbod beth wy'n feddwl bachan,' medde fi. Ro'n i wastad yn siarad gyda nhw yn y gwesty cyn gadael am y cae. Achos os oeddet ti'n siarad gyda nhw yn y stafell newid bydden nhw'n mynd mas i ryfel, nid i gêm. Rwy'n cofio un tro roedden ni fod i chware'n erbyn Lloeger, ac roedd rhywbeth yn eisie. A fe wedes i wrthyn nhw, 'Wy'n mynd. Achos naill ai chi'n mo'yn wado Lloeger neu y'ch chi ddim yn mo'yn wado Lloeger.' Ond marcie gwarter i ddau etho i mas i'r stafell newid. O'n i ddim yn mo'yn colli'n erbyn Lloeger ac roedd hi'n werth treial eto'u cael nhw'n ôl. Os wyt ti'n colli un chwaraewr ti'n colli tîm. A dyma fi mewn, ac roedd pawb yn gwybod 'mod i'n hoff iawn o Dai Morris. A dyna ble oedd Dai Morris fanna a'i ddwy law dros ei glustie a'i ben i lawr, yn eistedd rhwng Delme Thomas a John Lloyd. A dyma fi'n troi at y chwaraewyr. 'Disglwch ar Dai bois bach! Disglwch ffor' mae e'n meddwl am y gêm'. A dyma Dai yn troi ato i. 'Clive bachan bydd yn dawel,' medde fe. 'Wy'n gwrando ar y ras dau o'r gloch!' Roedd e wedi dod â'r transistor i fewn gydag e. Roedd pawb yn chwerthin, llond yr ystafell, pawb gyda'i gilydd. Dyna i gyd oedd rhaid i fi ddweud wrthyn nhw wedyn oedd 'Nawr te bois, cerwch mas ar y cae a rhowch got idyn nhw!' A fe wnaethon nhw hefyd. A ro'n i'n falch iawn o Dai Morris a'i dransistor.

Chi 'di dewis Tina Turner, Simply the Best.

Ddim jest am ffor' 'ma hi'n edrych! Rwy'n hoff o'i llais hi

hefyd. Ond wy'n dewis hon achos fy ŵyres fach, Emily. Bob bore Sadwrn mae'n canlyn ei thad cyn iddo fe fynd i ware ac yn dweud wrth fe, *'You're simply the best'*.

* * *

Mae'r gêm yn mynd i newid, Clive, ac wedi dechrau newid yn barod, achos bod chwaraewyr yn cael eu talu?

Mae'n bownd o newid. Ti'n siarad am arian mawr nawr. Dros y gwledydd i gyd mae'r arian yn mynd yn fwy ac yn fwy.

Ydi hynny'n beth drwg?

Rwy'n ddigon balch bod chwaraewyr yn cael eu talu am yr amser maen nhw'n 'i ddodi i mewn. Rwy'n cofio'r holl amser ddodais i mewn i'r gêm a ddim yn cael dim byd amdano fe. Nage dim ond hynny. Yn dy waith dy hunan roeddet ti'n ffaelu mynd mlân, achos oedd dim amser gyda ti oherwydd y rygbi. Felly o'r holl chwaraewyr hyn dros y blynyddoedd, 'sdim llawer ohonyn nhw wedi gwneud lot o arian mas o'r gêm.

Ond ydi Cymru'n mynd i'w colli nhw?

Wn i ddim pam bod pobol yn becso am hynny. Dyna'u proffesiwn nhw. Os ydyn nhw'n gallu mynd i Loeger i chwarae, a chael eu talu am chwarae rygbi, fyddan nhw'n gallu dod nôl i Gymru wedyn i chwarae dros eu gwlad.

Ond beth am y clybiau yn y cyfamser? Ydyn ni'n mynd i weld y goreuon o'n chwaraewyr yn mynd i chware i glybiau yn Lloegr?

Dod e fel hyn. Mae'n well 'da fi bod ni'n gweld chwaraewyr o Gymru'n mynd i chware i Loegr na chwaraewyr Lloegr yn dod i chware yng Nghymru. Achos mae hwnna'n meddwl bod nhw'n cymryd lle Cymry yn y tîm. Tawn i'n Sais, ac yn un o ddewiswyr tîm Lloegr, fyddwn i'n becso yn fawr iawn bod chwaraewyr o Gymru a gwledydd y byd yn dod i chware yn Lloegr, achos fydd dim chwaraewyr o Loegr ar ôl. Os yw Cymro'n mynd i un o glybie Lloegr i chware, a cael ei dalu amdano fe, ac yn dod yn ôl i Gymru'n well chwaraewyr, rwy'n ddigon hapus.

Mae brwydr bwysicach gyda chi ar eich dwylo nawr on'd oes? Y canser yw'r gelyn mawr.

Dim problem! Dim problem! Tra 'mod i'n bositif does dim byd yn mynd i newid o gwbl. Rwy'n cael cystal amser nawr ag wy' wedi cael erioed. Ga'th Margaret ganser yn ei bron bum mlynedd nôl. Mae hi wedi bod trwyddo fe, a wy' i wedi bod trwyddo fe gyda hi. A nawr ry'n ni'n mynd drwyddo fe 'to gyda'n gilydd. Mae e'n dod yn broblem pan mae pobol ddim yn fodlon siarad amdano fe. Sdim gwahaniaeth 'da fi siarad, rwy'i wedi cael rhywbeth bach sy'n mynd i fynd i ffwrdd, dyna i gyd.

Rych chi wedi cael pedair llawdriniaeth . . .

Pump. Mae fel cael peint o lager. Dyna'r ffordd wyt ti'n gorfod edrych ar y peth. Meddwl am y *chemotherapy.* Mae tri diwrnod o dy flaen di a ti'n gorfod gwneud y gorau o'r tri diwrnod tra bod ti yna. Mae pedwar [o gleifion] arall gyda fi yno ar y diwrnod cynta. Ry'n ni i gyd yn cyrraedd yna yr un amser bob pythefnos a ry'n ni'n helpu'n gilydd. O'dd un bachan yn sâl iawn ar y dechre, ond nawr ma' fe gystled â ni i gyd. Ond ry'n ni'n siarad am y salwch. Os wy'n cael help fan hyn a fan draw, ac os galla i helpu rhywun arall, dyna fel mae rhaid cymryd pethe.

Y'ch chi wedi cael llawdriniaeth i dynnu peth o'r perfedd mas?

Rwy' wedi cael dwy neu dair. Dros y Nadolig o'n i ar fy ngwely angau, bron na allet ti ddweud. Ro'n i yn yr *intensive care* ac yn teimlo'n druenus iawn am fy hunan. A dyma fi'n gweld hen law fach a clywed rhywun yn dweud, 'Dere mlân boi, siapa hi er mwyn Duw!' Dyma fi'n edrych lan a pwy oedd yno ond Bleddyn Bowen [cyn gapten Cymru]. Dyma beth sy'n sbesial aboutu rygbi ondefe? Roedd e wedi gweithio'i ffordd i mewn ar ôl dweud wrth y nyrs taw Dewi Rowlands oedd ei enw fe a bod e'n mo'yn gweld ei dad! Rwy'n gallu chwerthin am y peth nawr ac eto rwy'n mo'yn llefen hefyd. Roedd e mor bwysig i fi, y maswr yn dod i mewn a dweud wrth y mewnwr bach beth i'w wneud. Ffor arall dyle hi fod, y mewnwr yn dweud wrth y maswr! Ond oddi ar hynny dwi ddim wedi edrych yn ôl.

A nawr ry'ch chi wrthi'n sgwennu llyfr.

Mae e ar ei ffordd nawr. Yn Gymraeg! Mae hynny'n bwysig.

Ry'n ni wedi dod at ein record ola. Beth yw hi'n mynd i fod?

Rwy'n hoff iawn o Dafydd Iwan. Fyddech chi'n meddwl taw person ifanc fydde'n mynd i gyngerdd Dafydd Iwan. Ond rwy'i sbelen dros hanner cant oed ac yn mynd ar ben cadair i ganu gyda fe! Mae'r ddawn yna gydag e. Ond hefyd ro'n i'n meddwl, mae rygbi Cymru wedi bod tamed bach lawr yn ddiweddar. Rwy' i'n hunan wedi bod lawr. Ond er gwaetha pawb a phopeth ry'n ni yma o hyd.

Roedd hi'n ganol nos yng nghanol dydd yn Efrog Newydd y diwrnod hwnnw'

Mel Williams

Dyn Camera

Darlledwyd: 15 a 22 Tachwedd, 2001 (dwy raglen)

Cerddoriaeth:
1. *Brown Eyed Girl:* Van Morrison
2. *Ave Maria:* Placido Domingo
3. *I Dreamed a Dream:* Côr Orffiws Treforys
4. *Have I told you lately that I love you:* Rod Stewart
5. *Moliannwn:* Bob Roberts, Tai'r Felin

Beti George:

Ry'n ni yn Efrog Newydd yr wythnos hon. Yno y mae'r cwmni yn byw ers rhai blynyddoedd bellach . . . Yn ddiweddar fe ddaeth 'i wyneb a'i lais yn gyfarwydd i ni fel un o'r cynta' i gyrraedd safle cyflafan Canolfan Fasnach y Byd ar Fedi'r unfed ar ddeg.

Mel Williams:

Beth dwi'n gofio am fore Medi'r unfed ar ddeg oedd bod hi'n fore mor hyfryd. Cofio dreifio fewn i Efrog Newydd ac yn edrych lawr, edrych ar y ddau dŵr a'r haul yn twnnu'r bora hwnnw. Dwi'n cofio ryw ugian munud i naw, peth cynta glywis i o'dd 'y nghyfaill i Scott yn sgrechian 'Mel, Mel, Mel' a finna'n meddwl fod o 'di anafu'i hun, ac yn rhedag allan o'r swyddfa i weld be o'dd yn bod. A be nesa, dyma llygada'r ddau ohonan ni yn cloi efo'i gilydd, ac o'n i'n gwbod bod na rwbath difrifol wedi digwydd. Scott yn gweiddi a deud 'tha fi am nôl camera oherwydd bod 'na awyren wedi hedfan i fewn i un o dyrrau y *World Trade Centre*. A dwi'n cofio 'nwylo fi'n crynu wrth roid y camera ar y treipod ac yn edrach allan o'r ffenast yn y swyddfa i lawr tuag at Dŵr y Gogledd, a 'nghyfaill i'n trio egluro i fi maint yr hollt yn yr adeilad. O'dd rhaid i fi feddwl am eiliad bach ar be'n union o'n i'n edrach, a dim byd ond mwg mawr du yn codi o'r adeilad. A dyna pan wnes i sylweddoli bod 'na rwygiad ar draws yr adeilad a hollt mawr ble o'dd yr awyren wedi mynd i fewn.

Rwbath sy'n aros yn fy meddwl i ydi sut aeth y bora o ddrwg i waeth. Ro'n i'n gwylio'r ddau dŵr o bellter a gweld sbecyn bach yn dod i fewn, ro'dd o fel pryfyn yn dod lawr yn sydyn tu cefn i un tŵr, yn diflannu tu cefn i'r tŵr, ac wedyn pelan fawr o dân yn taro'r ail dŵr. Hydno'd

yn y point yma oddan ni'n meddwl 'ma damwain arall
o'dd 'na, bod 'na awyren arall wedi hedfan i fewn i'r
mwg. Ond yn sydyn, mewn munuda, o'dd y peth yn glir.
O'dd 'na rwbath dychrynllyd yn mynd ymlaen yn Efrog
Newydd y bora hwnnw.

Ffonio'r wraig, a peth nesa rhywun arall yn gweiddi
fod y Pentagon wedi'i daro. Y wraig yn deu'tha fi fod na
awyren arall wedi cael 'i heijacio, a mewn matar o funuda
o'dd 'na awyrena milwrol yn hedfan dros Efrog Newydd
ac yn bysian dros ben yr adeilad. Roedd 'na deimlad bod
ni mewn stad o ryfal yn Efrog Newydd y bora hwnnw.

Ffordd felly o'dd y cyfryngau yn delio â'r peth?

Odd y cyfrynga wedi dangos yr holl beth fel o'dd o'n
datblygu . . . Wrth gwrs mae America yn byw, ag yn
anffodus y diwrnod hwnnw, yn marw, ar y teledu.
Golygfeydd anhygoel a digwyddiada erchyll yn datblygu
o flaen llygada pobol ar y teledu. Ond dwi'n meddwl
ffordd o'dd y cyfrynga wedi dangos y peth, bosib iawn
bod chi adra yn gweld petha gwaeth. Yn America nathon
nhw ddim dangos rhai petha fatha pobol yn neidio allan
o adeilada. Ro'dd ffrindia fi oedd yn agos i'r tyrrau wedi
rhewi'n hollol, a wedi dychryn gweld pobol yn dymchwel
allan o'r adeilad. Doedd gan rai ohonyn nhw ddim dewis
oherwydd bod yr awyren wedi bwrw i mewn mor frwnt
i'r adeilad, ond roedd rhai erill wedi dod i bwynt difrifol
yn eu bywyda . . . dodd gynnyn nhw ddim dewis ond
neidio allan o'r adeilad a rheiny bosib iawn wyth deg,
naw deg, cant o loriau i fyny, fatha neidio o ben mynydd
mewn ffordd, dodd gynnach chi'm gobaith o fyw. A ma'
rhai o'r straeon am bobol o'dd ar y llawr yn gweld pobol

yn glanio, a jest yn chwalu ar y llawr, yn ddifrifol. Dwi'n cofio yr ail ddiwrnod edrych ar y *New York Times* ag o'dd 'na lun wedi cael 'i dynnu yn erbyn un o'r tyrrau, llun perffaith o wynab y tŵr, ac yn 'i ganol o llun o ddyn â'i ben i lawr yn disgyn. Ro'dd y peth yn anhygoel. Yn y diwrnodia wedyn, o'dd mi o'dd y wasg yn dangos lluniau o'r tyrrau yn disgyn i lawr dro ar ôl tro, o'dd 'na luniau o bobol fel tasan nhw wedi bod yn uffarn ag yn ôl yn cerddad allan o'r lle, a pobol oddach chi prin yn medru nabod nhw fel pobol, oddan nhw fel tasan nhw 'di cael 'u gneud gan ryw arlunydd, neu newydd ddod allan o Pompeii. Ond yn sydyn, ro'dd 'na lai o'r lluniau o bobol yn disgyn o'r adeilad. O'dd hi'n bwysig, dwi'n meddwl, i drio helpu pobol, heb fynd i ddangos y petha gwaetha o'dd yn mynd ymlaen. Oddan ni'n byw drwy'r peth, dodd dim rhaid i ni weld mwy o betha erchyll. Dros y diwrnodia wedyn o'n i'n ffilmio lot o bobol. Dodd na'm dwywaith, oddach chi'n cael eich sugno i fewn i holl emosiwn y peth 'run fath â pawb arall, a'r ansicrwydd be oedd yn mynd i ddigwydd nesa.

Ro'dd fy ngwraig yn bwriadu mynd lawr i'r siopa dan y ddau dŵr y bora hwnnw. Oddan ni'n bwriadu mynd i ryw briodas y penwythnos wedyn a dyma Jane yn deu'tha fi, 'Mi â i lawr yn y bora i brynu ryw fag ne' rwbath.' Trwy lwc oddan ni 'di bod yn teithio 'nôl o Washington DC, o bob man, y noson cynt, a ro'dd hi dipyn bach yn flinedig, ac wedi aros adra chydig bach yn hwyrach. Pan ddigwyddodd hyn, dyma fi ar y ffôn yn syth a deud 'Yli, aros adra'. Ond erbyn hynny, o'dd hi'n cael cymint o wybodaeth ag o'n i, ag o'n i'n edrych lawr ar y Tŵr Gogleddol. Erbyn hyn ro'dd 'na hollt fawr a mwg mawr du yn dod allan ohono fo, a deunaw munud wedyn dyma awyren arall yn hedfan i fewn i'r ail dŵr . . .

Chi'n teimlo'n saff 'na nawr te?

Yndw. Mae'n beth od mewn ffordd, 'dach chi'n mynd ymlaen efo bywyd. Yr un peth ma' pobol Efrog Newydd wedi dangos i'r byd . . . sut fedra 'i ddeud, pobol rŵd, pobol ddigywilydd ydyn nhw i ni'r Cymry. Achos ma' nhw'n bobol ar frys bob amsar, dim amsar i ddim byd. Pawb efo'u busnas a isio mynd a mynd . . .

A'r awydd ymosodol 'ma . . .

O ia, ia. Finna wedi cael fy nwyn i fyny yn Mynydd Llandygái, agor drws i hen bobol a helpu pobol i fynd i fewn i fysus ac ati a rhoid ych sêt i fyny i bobol – fasach chi'n cael ffrae pan oddach chi'n hogyn bach tasach chi'm yn gneud hynny. Ond yn fama, o'dd o bron iawn yn wendid i neud hynny. O'dd hyd yn oed hen bobol yn sbïo arnach chi'n hurt pan oddach chi'n gneud y fath beth. Ond ar ôl y diwrnod yna ag o'r diwrnod yna ymlaen, o'dd pobol Efrog Newydd wedi dangos rhyw ochor wahanol, a dwi'n meddwl fod o'n ochor sy' ynan ni ym Mhrydain hefyd. Pan mae'n dŵad i'r wal, i'r eithaf fel'na, ma' nhw'n tynnu at 'i gilydd mewn ffordd anhygoel.

Dwi'n cael y teimlad hefyd 'u bod nhw'n bobl erbyn hyn . . . ma' nhw'n dawelach . . . ydw i'n iawn?

Ydach, 'dach chi'n eitha iawn, Beti. Fel o'dd pobol cynt, oddan nhw'n methu disgwyl i fynd adra, methu disgwyl i ddod i'r gwaith a gwthio o'r ffordd a popeth yn frys, a dim amsar i fyw bron iawn. Ma'n rhyfeddol dod o rwla fel Cymru ble 'dach chi'n gwerthfawrogi bywyd y wlad, a cymryd mwy o amsar i fyw. A ma' nhw'n deud am Efrog Newydd bod hi'n ddinas sydd byth yn cysgu . . . Ond dwi'n meddwl fod gynnan ni well bywyd adra, o ran teulu ag o ran yr amsar dan ni'n gymryd i werthfawrogi petha sy' o'n cwmpas ni. Yn Efrog Newydd mae 'na fwrlwm, does 'na'm dwywaith, ond mae 'na gost i'r bwrlwm 'na. Ar ôl Medi'r unfed ar ddeg ma 'di dod a hynna adra i bobol, be sy'n bwysig mewn bywyd . . .

Un prif hysbyseb ynglŷn ag America ydi, os 'di'r ddawn gynnoch chi ma' modd mynd ymlaen mewn ryw faes ne'i gilydd. Os 'dach chi'n fodlon rhoid i fyny 'chydig bach hefo rhyw anhawsterau ar y ffordd, ma'r siawns yma i bawb, o bob rhan o'r byd. A ma' pawb o bob rhan o'r byd yma Beti, a pobol Mynydd Llandygái 'de!

Beth am hawl i chi i aros yma? Wrth gwrs ma' raid ichi gael be ma' nhw'n galw'n green card, *y math yna o beth?*

Dyna chi, ia. Pan ddes i i America gynta, ddoth y wraig a fi, a'r ci gyda llaw, ddothan ni yma o Kuala Lumpur yn Malaysia . . .

Gyda'r ci?

Gyda'r ci.

Pa fath o gi yw hwn 'de?

Hi ydi hi, Neli. Ci defaid du a gwyn. Mae'n dipyn o gymeriad, ci nath y wraig ei achub yn Bethesda o bob man, tu allan i'r capal. O'dd 'na ryw hen feddwyn yn cam-drin y ci un noson, ag o'n i ar y ffordd i siop Spar i fynd â fideo yn ôl. Pan es i allan o'r siop a cerddad lawr tuag at y wraig, o'n i'n meddwl, be gebyst sy' gynno hi . . . o'n i'n gweld rywbeth du a gwyn ar 'i hysgwydd hi. O'dd golwg ddigalon ar yr hen gi, a dyma ni'n achub y ci a mynd â hi'n ôl i Mynydd Llandygái. Y noson honno, dwi'n cofio trio adeiladu rhyw fath o gwt tu allan. Hen fythynnod chwarelwyr ydyn nhw, a tu cefn i'r tŷ mae 'na dŷ bach, yr hen dŷ-bach, a be nes i o'dd trio rhoid rhyw ddrws ar draws hwnnw er mwyn i'r ci gael rhywle i gysgu'n y nos. Ond o'dd Neli 'chydig bach mwy clyfar na fi. Erbyn bora roedd hi tu allan i ffenast ein stafall wely ni ag yn edrych reit syn arna ni.

A ma' hi 'di teithio'r byd?

Ma'i 'di teithio'r byd ers hynny. Un o'r diwrnodia yma mi nawn ni ysgrifennu 'i stori hi. Ma' Neli wedi teithio mewn *jumbo jet* yr holl ffordd i Kuala Lumpur. Ma'i 'di byw yn Malaysia hefo ni. Wedi teithio wedyn i Singapore, o Singapore aeth hi i Tokyo, ar draws y Pacific wedyn o Tokyo 'nath Neli hedfan . . . Ro'dd hi dros 100 gradd, gyda llaw, pan oddan ni'n gadal Kuala Lumpur a dyma ni'n cyrraedd yn Miniapolis ag o'dd hi'n 12 gradd o dan. Rhew ag eira ymhob man a'r ci wrth 'i bodd, wedi cyrraedd adra unwaith eto. Mai'n gi defaid efo côt fendigedig, 'di ddim yn colli'i ffyr o un tymor i'r llall.

Ci defed yn Efrog Newydd! Ble ma'r defed 'te?

Ma'i'n ymarfar efo fi a'r wraig yn reit amal, yn hel ni o un stafall i'r llall, yn enwedig pan 'dan ni'n cael rhyw air cas hefo'n gilydd a un yn mynd i un pen i'r tŷ a'r llall yn mynd i'r pen arall, mi eith yr hen gi rownd a'n hel ni'n ôl at 'n gilydd! A wedyn pan fyddwn ni'n mynd â hi rownd y parc mae hi'n ymarfar ar y chwiad bob hyn a hyn, jest i gadw'i llaw i fewn, ne'i phawen i fewn ddylwn i ddeud! Unwaith geith hi groesi ar draws eto mi fydd hi wedi 'gneud' y byd, 'fath â Michael Palin!

Wel nawr te, cerddoriaeth, a'r record gyntaf?

Brown-eyed Girl gan Van Morrison, ag ma' hon i'r ci, i Neli, achos ma' gynni'r llygada mor anhygoel o frown yn y byd.

* * *

Van Morrison, yn canu Brown-eyed Girl, *a dyna hoff gân Nel y ci, Mel?*

Ia. Mae'n anhygoel sut ma'r olwyn yn troi weithia. Pan o'n i'n tyfu fyny yn Mynydd Llandygái Beti, o'n i'n gwylio rhai o'r bobol o'dd yn byw'n gyfagos i ni yn mynd am dro ar fora Sadwrn, a'r wraig yn eista yn gefn y car, a'r ci yn y sêt ffrynt wrth ochor y dreifar, y gŵr. A ninna'n deud 'Wel sbiwch ar rhein yn mynd, a'r ci'n cael y sêt ffrynt!'. Fasach chi'm yn coelio hyn, ond pan 'dan ni'n mynd rownd Efrog Newydd withia, ma'r ci yn y sêt ffrynt, a ma'i wrth 'i bodd yn mynd rownd yn y car. Welis i ddim byd 'run fath â hi yn y byd.

Mynydd Llandygái. Shwt le o'dd e i gael eich magu ynddo?

O, lle gwych i dyfu fyny. Fi a'n chwaer Jackie; o'dd hi bob
amsar yn edrych ar f'ôl i. Ma' hi ddeunaw mis yn hynach
na fi, ma'i 'di edrach ar 'n ôl i reit dda ar hyd y
blynyddoedd. O'dd Mynydd yn lle gwych i blant –
mynyddoedd o'n cwmpas ni yn bob man. Digon o
afonydd a llynnoedd, a digon o esgus i fynd am antur bob
gafael. O'dd lot o ffrindia fi fel Brei Siop a Gerallt a'r
hogia, oddan ni'n mynd i grwydro'r afonydd i drio dal
pysgod, a gwrando ar rai o'r hen fois yn deud sut i fynd o
gwmpas hefo rhyw blu a ballu, a ninna'n rhoi rhyw
dolpins ar draws yr afon i drio troi cwrs yr afon a gorffan
mewn rhyw stŵr hefo rhywun ne'i gilydd . . . Dach chi'n
mynd rhyw filltir lawr y lôn, a 'dach chi'n syth bin ar y
mynydd. O'dd o'n wych, oddan ni fel plant yn mynd i
grwydro yn y parc, hyd y moelydd, ac yn dysgu am natur
ac yn dysgu am bopeth o'n cwmpas ni. Oddan ni'n ffodus
ofnadwy, ma' lot o blant y byd ddim yn ca'l cyfle fel'na.

A digon o gymeriade yna?

O, anhygoel. Fasach chi'n medru sgwennu llyfr. A dros y
blynyddoedd dwi 'di cael y fraint i ffilmio amball un cyn
iddyn nhw ddiflannu. Fel o'n i'n tyfu fyny o'dd 'na hen foi
o'dd yn dŵad i fyny Llwybr Main hefo ceffyl a cart, a un
goes yn fyrrach na'r llall gynno fo, o'dd 'na ryw herc arno
fo, Twm Tŷ Cerrig o'dd 'i enw fo. O'dd gynno fo chwaer,
Catrin, o'dd yn dipyn o gymeriad yn'i hun, 'di cael 'i
dwyn i fyny efo llond tŷ o frodyr . . . O'dd gynnoch chi Wil
Pen Bonc, o'dd o'n dŵad â llefrith rownd, a Llew Glo,
o'dd o'n stopio'n bob man ac yn cael panad a sgwrs, Tony

a Wil yn dŵad hefo'r post a dŵad â newyddion am be oedd yn digwydd ym mhob man . . . Yn ddiweddar mi gollon ni ffrind da iawn i ni – Alun Tŷ Croes, un o wir gymeriada Mynydd Llandygái. Chydig cyn Alun o'dd Wil Pen Bryn a Llew Glo a lot o'r cymeriada o'dd yn gefn i'r ardal wedi diflannu, ag o'dd Mam a Nhad yn rhan o'r brethyn yna . . . ma' 'di bod yn fraint byw trwy gyfnod hefo pobol mor sbeshial.

Ddaeth y pentra 'i hun i fodolaeth oherwydd chwaral Penrhyn a stad y Penrhyn. Tŷ chwarelwr oedd y tŷ 'nath fy nhaid a fy nhad a fy mam fyw yn'o fo, a mae o'n dal yn eiddo i ni. Ma'r cerrig tua tair troedfedd o dew, a ma' 'na le tân hen ffasiwn 'na, a dyna ble o'dd y cartra ges i 'nwyn i fyny. Ar ddwy ochr i'r teulu o'dd Mam a Nhad o deulu mawr – Mam yn enwedig, teulu Waenhir, ag o'dd hi'n un o ddeg o blant os dwi'n cofio'n iawn.

Felly, eich record nesa?

Bora dydd Sul yn tŷ ni o'dd 'n chwaer a fi'n deffro i sŵn consart. O'dd Nhad wrth 'i fodd hefo canu opera a dwi'n cofio cael fy nwyn i fyny hefo records ifanc iawn o Pavarotti. Pan o'n i'n hogyn bach o'n i'n helpu 'Nhad i adeiladu *hi-fi*. A dwi'n cofio fo'n yn prynu rhyw *Danish speakers* ac yn llenwi rhyw focs efo wadin a hen dameidia o garpedi ag o'dd y peth yn sowndio fel mil o bunnoedd. O'dd hi'n gontract a gwledd bob bora dydd Sul – Mam yn gweiddi iddo fo i droi o lawr am fod pobol drws nesa'n cwyno. A 'ma hynna 'di dod â fi rownd y rîl i'r record nesa 'ma, Placido Domingo yn canu *Ave Maria*. Ma' 'na gysylltiad hefo Efrog Newydd heddiw yn fama hefyd oherwydd dda'th Jane, ne' Siani fel dwi'n galw hi, a fi draw i Gweddi i America yn Yankee Stadium 'chydig bach ar ôl y trychineb, ag ro'dd o yna'n canu'r gân yma, ag o'dd i'n anhygoel. Dwi'n meddwl bod 'na ddeigryn yn llygad pawb y diwrnod hwnnw.

* * *

Wrth gwrs, o'ch chi'n cael eich magu ar aelwyd grefyddol iawn, oedd crefydd yn bwysig?

Oedd i radda, oddan ni'n mynd i'r Ysgol Sul a dwi'n meddwl o'n i'n gwbod y Beibl reit da a dwi'n dal i wbod y Beibl reit dda.

Ydi hynny wedi newid nawr yn eich bywyd chi?

Y peth ydi ma' 'ngyrfa fi wedi bod yn un wyddonol hefyd, ac ers o'n i'n hogyn bach dwi 'di bod yn gofyn cwestiyna, a gofyn pam o'dd pobol yn derbyn hyn, pam o'dd pobol yn derbyn peth arall. A ma' hynna 'di bod yn rhan o fy nhaith i trw' fywyd mewn ffordd, a gweld sut ma' crefydd pobol erill yn gweithio ne' ddim yn gweithio . . .

Ma'r Americaniaid mae'n debyg wedi troi yn fwyfwy at grefydd?

Mae 'na grefydd yma o'r dechra wrth gwrs. Ma' nhw'n derbyn pob math o grefydd. Yr un gwendid yma yn America ydi'r ffaith fod o'n agorad i bawb a phopeth, a mewn ffordd ma' hyn'na'n gweithio'n erbyn nhw'u hunain . . . Ond fel 'dach chi'n mynd rownd y dre 'ma rŵan, 'dach chi 'di gweld ych hun, *'God Bless America'*, *'In*

God we trust' a rhyw betha fel hyn. Ma' pobol mewn cyfnodau fel hyn bob amsar yn troi at grefydd ac at rwbath i gredu ynddo fo.

Y'ch chi wedi?

Na, ma'r cryfdar yn y cyfnod yma wedi dod oddi wrth fy ngwraig, oddi wrth 'y nheulu, ac oddi wrth yr holl ffrindiau sy' gynno fi ar hyd y byd. Gen i ffrind oedd hefo fi yn coleg sy' yn Awstralia, o'dd o 'di gyrru dau ne' dri *e-mail* inni, a heb gael ymatab, ac yn diwadd mi ffoniodd o un noson i neud yn siŵr bod ni'n iawn. Petha fel'a sy'n cadw'n ffydd i i fynd.

Tan y diwrnod byddan nhw'n rhoid fi yn y ddaear mi fyddai'n gofyn cwestiyna ynglŷn â chrefydd pobol. Dwi'n derbyn 'ma ffordd o fyw i rai pobol ydi'r Beibl a ffordd o fyw i bobol erill ydi'r Koran. Ma' raid ichi gael rhyw côd i fywyd . . . Sdim rhaid iddo fo fod mewn eglwys, ma'n rwbath mewnol dwi'n meddwl a ma'n rwbath 'dach chi'n gael trwy dyfu fyny.

Beth yw'r record nesa'n mynd i fod?

Côr Treforys. Ro'n i wrth fy modd yn gweld Alwyn Humphreys a'r Côr yn dod draw yma i godi'n calonnau ni. O'dd hi'n arbennig o noson yn Neuadd Carnegie, o'n i a'r wraig 'di mynd lawr hefo'r faner, a cadw digon o stŵr yn ffrynt y neuadd. Faswn i'n licio clywed *I dreamed a dream* allan o *Les Miserables,* oherwydd y geiriau achos ma' nhw'n berthnasol iawn i be sy' wedi digwydd yn fama'n ddiweddar dwi'n meddwl.

* * *

Yr awydd crwydro 'ma, Mel, oedd rhai o'ch teulu chi wedi teithio'n bell o Landygai?

O oedd, o'dd lot ohonyn nhw wedi teithio. O'dd Anti Ann, chwaer Mam, aeth hi i nyrsio yn York, yn y *Fever Hospital*. O'dd hi'n dipyn o gês, o'dd 'i 'di seiclo yr holl ffordd i fanno o'i chartra hi yn Waenhir, rhwng Mynydd Llandygái a Sling. Mi 'nath hi'r daith efo'i chwiorydd hefyd un tro, dwi'n meddwl ma' hi o'dd yn gneud y pedlo i gyd ar ryw dandem. Oddan nhw 'di cysgu yn rhyw gaeau ar y ffordd yn ôl. Rhyw dipyn o gymêr fel'na o'dd Anti Ann.

Felly do's dim rhyfedd Mel, bod eich traed chi hefyd yn aflonydd?

Dwi'n meddwl bod yr elfen i grwydro wedi dŵad o'r ddwy ochr i'r teulu. O'dd brodyr a chwiorydd Mam a Nhad wedi crwydro i bob man. O'dd fy nhaid ar ochr 'Nhad, Twm Bryn, wedi bod yn chwarelwr yn Chwarel Penrhyn, ag a'th o lawr i'r Sowth i Glyn Ebwy, a mi dreuliodd o dipyn o amsar hefo'i frawd yn fan'no. Ma' 'na 'chydig o ryw elfen o Taid yn dod nôl wrth feddwl am be sy' 'di digwydd yn ddiweddar, achos mi lwyddodd Taid i ddod allan o ddinistr dan ddaear yn Cwm. Dwi'n cofio Anti Bessie, 'i ferch o, yn deud yr hanas. Pan welodd hi hoel y llwch glo wrth y stepan gefn o'dd hi'n gwbod bod 'i thad hi wedi cyrraedd adra'n saff, a gymint o rai erill heb wneud y diwrnod hwnnw.

A felly ysgol a choleg?

Ysgol gynta oedd Ysgol Bodfeurig, ar waelod yr allt am Mynydd Llandygái. Oddan ni'n talu dima dwi'n meddwl i'r dreifar bỳs ac oddan ni'n ca'l mynd lawr yr allt ar y bỳs. Rhyw hanner cant o blant dwi'n meddwl o'dd yna i gyd. Wedyn ar y ffordd adra oddach chi'n dod i fyny allt Brynia, ac ar ben allt Brynia o'dd 'na goedwig. Ma'n siŵr 'mod i 'di treulio hannar 'y 'mhlentyndod i fewn yn y goedwig yna yn chwarae ac yn cuddiad ac yn dringo coed ac yn ffeindo rhyw hen feics heb frêcs, a rhywun arall yn cael hyd i'r olwynion a rhoid rhyw betha i gyd efo'i gilydd, a wedyn oddan ni'n cael rasus drwy'r coed a ryw nonsens felly.

Ysgol Dyffryn Ogwen wedyn?

Ia. Oddach chi'n mynd o un dyffryn i'r llall! O'r tŷ yn Llwybr Main lle'r o'n i'n byw, oddach chi'n medru edrach ar draws y dyffryn i Bethesda a dyffryn Ogwen, ac i Ysgol Dyffryn Ogwen. Ar y bathodyn dwi'n cofio o'dd 'Bydded Goleuni', a dwi'n meddwl bod hynna 'di aros hefo fi.

Rod Stewart fel eich record nesa chi?

Ma' hon i fy nghariad i, i'r hen Siani, *Have I told you lately that I love you.* Fues i'n Llundain am gymint o flynyddoedd, mynd yn ôl i'r Gogledd a dechra gweithio yng Nghymru. Dod yn ôl i Lundain i ffilmio rhyw sioe yn y West End, a'r criw i gyd yn hel diod mewn tŷ tafarn yn fanno, a dyma fi'n cyfarfod Siani a ffrind iddi, Val. Dwi'm yn gwbod pwy nath landio ar 'i lwc y noson honno, ond

Siani'n cyfarfod y boi 'ma efo tŷ 'i hun yn byw yn y Gogladd ag yn deud 'Dowch i fyny i weld fi ryw benwythnos', a dyna hi. O hynny a'th 'i 'mlaen i lle rydan ni heddiw. Ond ma'i 'di bod yn ffrind da, yn gymeriad da, dan ni 'di bod trw adega calad a dan ni 'di sefyll efo'n gilydd. Dwi'n gorfod 'i galw hi'n Jane pan dan ni'n ffraeo weithia. Ond Siani ydi hi yn 'y 'nghalon i, fel ydan ni i gyd yn mynd trw' fywyd 'dan ni'n anghofio deud wrth y rhai sy'n bwysig i ni, y rhai dan ni'n 'u caru – dan ni'n cymryd nhw'n ganiataol weithia.

* * *

A mynd i neud ffotograffiaeth?

O'dd 'y Nhad yn ddylanwad mawr arna' fi. O'dd o'n tynnu llunia, *cine cameras* a ryw betha felly o'dd 'i betha fo, 'nath o bwyntio fi dwi'n meddwl i gyfeiriad ffotograffiaeth.

O'dd o ddim yn beth cyffredin iawn o'dd e?

Na, cyn hynna rwbath o'n i'n mwynhau neud o'dd tynnu lluniau ag arlunio ag ati, taflyd powdwr a paent ar bapur, ond ella bod hynna'n rhy araf i fi. A wedyn o'dd pobol y Mynydd yn dod i arfar 'ngweld i'n crwydro'r afonydd a'r mynyddoedd hefo camera ac mewn dipyn mi ddes i ar draws rhyw lyfr yn llyfrgell Ysgol Dyffryn Ogwen, *Photography at Work*. Ro'dd y llyfr yma'n deud am bob math o agwedda o ffotograffiaeth nad o'n i 'rioed wedi clywad amdanyn nhw o'r blaen. Ma' raid fod o 'di taro rhyw nodyn hefo fi, a dyna be ddechreuodd fy ngyrfa fi yn y maes dwi'n meddwl.

Wedi gadel yr ysgol felly a'r coleg, gyrfa a dechre yn ffilmio rocedi yn Aberporth?

Ia, pwy sa'n coelio'n 'de! Lot o fois da'n Aberporth. Ma'n siŵr bod nhw'n cofio fi fel un o'r ychydig 'Gogs' oedd yno. A ges i groeso mawr gynnyn nhw. Dwi'm yn meddwl bod llawar o bobol yn deall yn union be o'n i'n ddeud – unwaith 'dach chi'n mynd heibio Aberystwyth ma' iaith y Gogs yn creu dipyn o stŵr. A mi dreulis i gyfnod hyfryd yn Aberporth. Mi ddysgis i fwy mewn cyfnod byr hefo rhai o'r bois yna na wnes i yn coleg . . .

A wedyn fe aethoch chi i ysbyty yn Llunden i dynnu lluniau – lluniau llygaid . . .

Ia, ia. Fues i'n gweithio efo dynas o Hwngari o'r enw Eva Komer. O'dd hi'n un o'r bobol flaenllaw trw'r byd 'nath sefydlu ffordd o edrych ar gefn y llygad a deud pa mor ddrwg oedd clwyf trwy edrych ar y rhan yna o'r llygad.

Pa fath o gamera oedd hwn 'de?

Odd o'n un arbennig o'dd 'di cael 'i ddatblygu yn yr Almaen. O'dd y person yn ista lawr wrth y bwrdd 'ma, roddach chi'n rhoi'ch pen yn rhyw beiriant fel tasa chi'n mynd i gael sbectol ac yn edrach ar ryw ola bach, dilyn y gola o gwmpas y lle a wedyn oddan ni'n rhoi drops yn y llygad arall ag o'dd hynna'n golygu fod *iris* y llygad yn agor . . . Oddach chi'n medru astudio popeth yng nghefn y llygad, a hwnnw'n dangos os o'dd 'na ryw wendid mewn gwythïen neu mewn *capillaries*. A thrwy hynna oddach chi'n medru astudio be o'dd yn mynd ymlaen yng nghorff person heb 'i agor nhw'i fyny mewn ffordd.

Y llyged yn dweud popeth.

Ia. Ma'r gwaith 'ma hi 'di neud wedi ehangu trwy Brydain a trw'r byd ag o'n i'n arfar tynnu lluniau ar gyfar 'i llyfra ac ar gyfar 'i darlithoedd hi pan o'dd hi'n teithio'r byd. Cyfnod reit ddifyr.

Wedyn, ma'r peth yn anhygoel. Mynd i ralïo ceir!

Ia. Dwi'n cofio 'Nhad yn deu'tha fi unwaith, 'Yli wna i'm prynu moto beic i chdi, fyddi 'di'n lladd dy hun'. A dwi'n meddwl bod 'na wirionadd yn 'i eiria fo. Rhai o'r campia dwi 'di neud mewn ceir, ma'n anhygoel bo' fi'n dal yma. Dwi 'di troi nhw ben i lawr, dwi 'di bod mewn ralis a 'di bod yn hongian o'r *harnesses* a ballu . . .

Felly i ba gwmni aethoch chi i weithio?

Ges i brofiad efo cwmni Ford i ddechra – ac o'n i'n Llundain ar y pryd, ac yn ralïo ac yn gwario pob ceiniog o' gynno fi ar rasio ceir bob penwythnos.

O'ch chi'n ennill?

Na dim *really*. O'dd ffrind i fi'n deud, 'fasa'n rhatach i chdi fynd i bysgota a taflyd y gêr i gyd i'r afon ar ddiwadd y pnawn nag ydio i chdi fynd i ralïo bob penwythnos'. O'dd o o gwmpas 'i betha dwi'n meddwl. Gês i job efo *Rothmans*

Rally Team, David Sutton Motor Sport. Ma' lot o fois, yn enwedig hogia ffarm yng Nghymru, wrth 'u bodd efo ralïo a malu ceir. Yn ardal Aberteifi, mae un o'r ralis anhygoel yng ngystadleuaeth *Motoring News* – Cilwendeg, os dwi'n cofio'n iawn.

O'ch chi'm bach yn wyllt 'te?

'Sna'm dwywaith . . . Ma'r elfen wyllt yn dal yna ag wedi helpu i 'nghadw fi'n fyw dwi'n meddwl.

A'ch record nesa chi Mel?

Ma' hon yn codi ysbryd rhywun bob tro dwi'n 'i chlwad hi. *Moliannwn*, Bob Roberts Tai'r Felin.

* * *

A wedyn dod nôl i Gymru. A'ch rhieni'n marw yn gymharol ifanc.

Do. Gollis i Mam a 'Nhad mewn rhyw flwyddyn a hannar i'w gilydd. Farwodd 'y 'Nhad yn sydyn. Dod yn ôl adra, a colli Mam mewn tua blwyddyn a hannar. Ma' nhw'n deud bod pobol yn torri'u calonna weithia pan ma' nhw'n colli cymar a dwi'n meddwl 'na dyna be ddigwyddodd hefo Mam, achos oddan nhw mor glos. Ma' hynny'n rwbath sydd efo fi a'n chwaer hefyd dwi'n meddwl, dan ni mor bell i ffwrdd a dan ni'n colli cysylltiad, ond ma'r closrwydd yn dal yna, a dwi'n meddwl bo' chi'n cael hynna o'ch teulu, a'ch rhieni. Mi o'dd hi'n gollad reit galad, do's na'm dwywaith, mi 'nath o effeithio arnaf fi.

49

Ond mynd i weithio i gwmnïau teledu.

Ia o'dd y busnas teledu ar ei frig yng Nghymru a lot o gwmnïau cynhyrchu a cwmniau fel Barcud ar eu hanterth 'radag hynny. Ges i gyfle anhygoel i drafeilio Cymru, Prydain a'r byd ar lawar rhaglan fendigedig efo *Hel Straeon* a *Gwyn a'i Fyd* a Dai Jones ar *Cefn Gwlad*. Y job fwya o'dd trio cadw'r camera rhag ysgwyd. Dwi'n cofio Dai'n mynd i mewn i ryw sied unwaith a'r unig beth welis i o'dd ieir a ceiliogod a ci defaid yn fflio i bob cyfeiriad. O'dd raid i fi gloi'r camera achos bod o'n ysgwyd cymaint, o'dd dagra yn llygada fi. Ma' Dai yn foi, mae gynno fo ddwy droed ond pur anaml mae o'n medru aros arnyn nhw am hir.

Un o'r tripia gora ges i oedd hefo Gwyn Llewelyn i America. Aethon ni i Sturgis yn South Dakota. I'r rheiny sy'n hoffi motobeics, fanno ma' pawb efo Harley Davidson yn mynd, ag o'na tua chwarter miliwn o'r bois 'ma a'r merchaid, a bob dim i wneud efo Harley Davidson wedi dŵad i Sturgis yr wythnos honno. A wna i byth anghofio, o'dd Gwyn efo crys fatha crys peilot efo llewys byr, a ryw shorts bach glas a *flip-flops* am 'i draed yn cerddad lawr prif stryd Sturgis, a'r bois Harley Davidson 'ma mewn lledar yn sbïo arnan ni'n hurt . . . O'n i'n ffilmio Gwyn yn cerddad ar hyd cefn y moto beics 'ma, a dyma'r boi ma'n troi ataf fi i ddeud *'Where the hell are you guys from?'* *'O we're from Wales'.* *'Where the hell is that?'* medda fo. A dyma fo'n sbïo'n ôl ar Gwyn, a fel o'dd hyn yn digwydd o'dd Gwyn 'di bachu'i grys yn un o'r Harley Davidsons a 'di mynd yn sownd yno. A'r boi yn troi'n ôl ata fi. *'Well your best bet is to keep right on headin' west'* medda fo.

Wrth gwrs un peth sy' wedi digwydd oherwydd y gyflafan yma ydi bod e 'di cryfhau'ch cysylltiad chi unwaith eto â Chymru, gan bod chi wedi bod ar y cyfrynge ag ati.

Ia mae'n beth rhyfadd. Y peth dwytha o'n i'n ddisgwyl o'dd y baswn i'n siarad ar y weiarles, fel oddan ni'n deud ers talwm, ac o flaen y camera yn lle tu ôl i'r camera.

Achos mae wedi effeithio tipyn arnoch chi Mel? Ac wrth gwrs o'ch chi yno gyda'r cynta i gyrraedd y Ground Zero 'ma.

Does na'm dwywaith Beti, ma' digwyddiad fel hyn yn digwydd i rywun unwaith mewn bywyd. Dwi 'di gweld ffilmio petha digon erchyll yn fy mywyd, ag wedi gweld sut ma' bywyd yn rhad mewn rhai llefydd yn y byd. Ond i weld peth fel hyn yn digwydd a gymint o bobol yn cael eu lladd . . .

Mae e wedi effeithio ar eich iechyd chi hefyd Mel, i raddau yn dydi, achos pan aethoch chi lawr i'r Ground Zero a'r mwg a'r llwch . . .

Yndi, ma'n siŵr. Ma' lot ohono fo oherwydd 'mod 'i 'di anadlu lot o ddefnydd o'r awyr dros yr wythnos, a mi ges i ryw fath o bacteria i fewn i'r system. Dwi 'di bod ar dabledi am wythnosa a 'di colli'n nghlyw o bopeth am tua wythnos a hanner. Ma' ychydig bach yn y gwddw yn dal i fod, ond ma'n dŵad yn well. Dach chi 'di gweld y lluniau o bobol yn dianc dros bont Brooklyn a'r awyr y tu ôl iddyn nhw'n hollol ddu.

Y don yma o'r mwg fel petai'n dod o losgfynydd yn de?

Yn hollol. O'dd o fath â dau fadarch mawr o lwch, a'r bobol gath 'u dal ymysg hwnna, oddan nhw mewn uffarn ar y ddaear. A lot o'r bois tân o'n i 'di ffilmio wedyn yn dod allan o Ground Zero, a golwg fel tasan nhw 'di bod yn uffarn ag yn ôl . . . Oddach chi'n gweld ryw wacter yn 'u llygada nhw, dim ond edrach yn 'u llygad nhw a ma'n deud wthach chi bopeth, sut oddan nw'n teimlo a be o'n nhw 'di weld. Am gyfnod y diwrnod hwnnw o'dd hi'n ganol nos yng nghanol dydd.

Ddiwrnod ne' ddau ar ôl y drychineb o'n i'n sgwrsio hefo Gwyddel o'dd yn cerddad i fyny o Ground Zero, dyn tân o Harlem; Jim o'dd 'i enw fo. O'dd o 'di bod yna trw'r nos. *'We didn't find any bodies,'* medda fo.

Wsnos yn ôl o'n i lawr 'na ag o'dd y lle'n dal i fygu, dal i losgi dan y doman 'na. Ma' pobol yn tyrru yna, 'nenwedig ar y penwythnos, oherwydd ma' nhw angen gweld. Ro'dd fy ngwraig wedi gweld y ddau dŵr yn dymchwel i lawr, ond ryw bythefnos wedyn, ro'dd hi angen mynd i weld y safle 'i hun oherwydd o'dd hi'n dal ddim yn coelio be o'dd wedi digwydd. A pan athon ni lawr 'na o'n i'n trio egluro iddi. O'dd 'na doman, tua wyth deg, naw deg troedfadd o uchdar a fel ryw gaterpilar ar y top wrthi'n trio crafu. Ag o'n i'n deud wrth Siani, 'Yli, dyna fo rhan o'r tŵr yn fan'na.' Ag o'dd hi'n methu gneud synnwyr o be o'dd hi'n edrach arno fo.

Oddan ni yn swyddfa'r BBC un diwrnod yn gyrru llunia 'nôl i Gymru – rhai o'r llunia cynta ga'th 'u tynnu o'r awyr, a dyma fi'n clywad rhywun dros yn ysgwydd i'n deud, *'Oh my goodness it looks like Dresden, the bombing of Dresden.'* A dyma fi'n edrach dros f'ysgwydd a pwy oedd yna, newydd gyrraedd ond Kate Adie o bawb. O'dd y criw arferol, yr *heavy duty* dwi'n galw nhw, heb gyrraedd y tri diwrnod cynta – o'n nhw'n methu dod i fewn i Efrog Newydd. O'n i'n digwydd bod yn y lle anghywir ar yr adag iawn, ag ella bod Cymru 'di cael y stori cyn gynted â pawb arall y tro yma. Ond o'n i'n teimlo bod hi'n bwysig dangos i Gymru, a dangos i'r byd be'n union o'dd yn mynd ymlaen yn Efrog Newydd yn ystod y cyfnod hwnnw.

'Y miwsig sy'n crwydro fel y mynn'

Eldra Jarman

Sipsi

Darlledwyd: 16 Gorffennaf, 1987

Cerddoriaeth:
1. *Allegro Ma non Troppo gan Beethoven:* Yehudi Menuhin a'r Leipzig Gewandhans Orch
2. *Nessun Dorma:* Benjamino Gigli
3. *Bugail Aberdyfi:* David Lloyd
4. *Pib-ddawns Gwŷr Wrecsam:* Nansi Richards ar y delyn
5. *Celeste Aida:* Luciano Pavarotti
6. Cân ar y gitâr gan y gitarydd sipsïaidd Manitas De Plata.

Beti George:

Saesneg, Romani a Chymraeg yw'r tair iaith sy'n gysylltiedig â 'ngwestai heddiw. Ond 'dyw hi ddim yn ystyried 'i hun yn Gymraes. Plentyn digon gwanllyd oedd hi, yn fach ac yn ysgafn, a bach ac ysgafn yw hi wedi bod oddi ar hynny, yn dywyll ei chroen a'i llygaid, a'r rheiny gyda'r bywioca' a fu erioed. Hyn i gyd yn bradychu gwaed y sipsi sy'n ffrydio drwyddi'n dew. A'r enw hyfryd o swynol 'na wedyn, Eldra. Beth arall allai e fod ond enw ar ferch o sipsi.

Cael eich geni yn Aberystwyth ontefe; mewn carafan?

Eldra Jarman:

O nage, biti na fase fo wedi bod mewn carafan, ond doedd o ddim. Mewn tŷ digon cyffredin oedd e.

Hynny yw, roedd y teulu wedi ymsefydlu erbyn hyn?

Oedd, oedd, roedd fy nain wedi ymsefydlu, a wedyn roedd fy mam a'i chwaer hi wedi cael addysg yn y Lleiandy gyda'r lleianod.

Ond fe fuodd eich mam ar grwydr ar un adeg yn ei bywyd yn do? Oedd hi'n cofio hynny?

Oedd. Roedd hi ar y ffordd, fel maen nhw'n dweud, hyd nes oedd hi'n ddeg oed. Roedd hi'n ddeg oed yn mynd i fyw mewn tŷ.

Roedd e'n fywyd rhamantus, allen i ddychmygu. Oedd hi'n edrych arno fel bywyd rhamantus?

Dwi ddim mor siŵr am ramantus. Mae'n rhamantus i bobl sy'n edrych arno fo o'r tu allan. Dwi'n ei chofio hi'n deud rywbryd pan oedd y glaw y dod i lawr o'r mynydd yn Bethesda – Susnag oedd Mam yn siarad wrth gwrs – *'How would you like to be in that field now with a wet sack on your back and a cold swede in your hand?'* Mae'n rhaid ei bod hi wedi bod yn go galed arnyn nhw ambell waith.

Eich mam a'ch tad yn perthyn i deulu Abram Wood?

Ie, ie. Roedd y ddau ohonyn nhw'n perthyn i'w gilydd wrth gwrs.

Abram Wood oedd sylfaenydd y sipsiwn yng Nghymru, ie?

Roedd o'n un o'r tylwythau ddaeth i Gymru yn y ddeunafwd ganrif. Roedd y Lovells a'r Lees yn rhai eraill yn y Gogledd.

Felly rydych chi'n gallu olrhain eich hanes yn ôl i Abram Wood. Ydych chi wedi gwneud hynny ar bapur, fel petai?

Do. Mae llond tudalen fawr o achau gynnon ni yn y tŷ. Mae modd olrhain fy achau fi'n ôl trwy fy nhad a fy mam at Abram Wood trwy saith o wahanol ffyrdd. Mae 'ma Jerry Bach Gogerddan, oedd yn delynor i'r teulu Gogerddan ers talwm. Mae o ar ochr fy nhad yn hen hen daid i fi ac ar ochr fy mam yn hen hen ewyrth i fi. Felly rydan ni'n gymysg iawn fel yna.

Ond fe symudoch chi o Geredigion pan oeddech chi'n ifanc ac wedyn fe aethoch chi i ardal Tryfan yng Ngwynedd.

Dyna chi.

Faint ydych chi'n gofio o'r cyfnod yma ar y mynydd yn Nhryfan?

Ro'n i'n bedair oed yn dod lawr i Bethesda, a dwi yn cofio'r tŷ gwyngalch oedd bron yn grwn am wn i, ar ochr y mynydd a heb fod yn bell o Lyn Ogwen. Roedd 'na goeden leilac yn tyfu ar ffrynt y tŷ a honno wastad wedi plygu gyda'r gwynt. Hyd heddiw mae ogla leilac yn dŵad â hynny'n ôl i mi. Roedd hi'n ofnadwy yn y gaeaf, roedd y gwynt yn dŵad ac mi fydda' 'Nhad yn rhoi rhyw *shutters* pren i fyny, ond roedd y gwynt yn dod lawr y simnai ac ar ôl dod i lawr y simnai roedd o'n mynd rownd, w-w-w, rownd y tŷ i gyd. Roedd hynny'n rhoi braw mawr i fi yn blentyn.

Y'ch chi'n hoff o gerddoriaeth ydych chi?

O ydw, yn naturiol iawn, mae sipsiwn i gyd yn hoff o gerddoriaeth. Mae'r rhan fwyaf ohonyn nhw'n canu rhyw offeryn ne'i gilydd, ac os nad ydyn nhw maen nhw'n gallu chwibanu neu rywbeth.

Beth ydych chi wedi dewis gyntaf?

Concerto gan Beethoven, achos dwi'n meddwl bod y cerddoriaeth yma'n cyfleu ymdeimlad o'r enaid rhydd, yn codi uwchlaw y ddaear, fel mae'r ehedydd yn gallu gwneud.

* * *

Beth oedd gwaith eich tad, Eldra?

Yn y dechrau mi oedd o'n delynor i'r South Wales Borderers, amser digon pell yn ôl rŵan, cyn y rhyfel mil naw un pedwar, ac wedyn fe aeth yn gipar afon i'r Arglwydd Penrhyn yn Bethesda.

Potsiar wedi troi'n gipar?

Nagoedd, doedd o ddim yn botsiar, ond roedd o'n gwbod am y triciau i gyd hefyd, achos roedd ei frawd o'n un o'r potsiars mwyaf ar un adeg. Ond roedd ein tŷ ni yng nghanol y wlad – dyna be oedd yn beth braf iawn, a'r afon yn rhedeg jest yng ngwaelod y cae. Wedyn roedd y goedwig tu ôl ac roedd gen i ddigon o ryddid yno i chwarae. Roedd cŵn gan fy nhad wrth gwrs, ac roedd hynna'n hyfryd iawn.

Fe fydden i'n hoffi dychmygu y bydde'ch magwraeth chi'n wahanol i fagwraeth plant eraill. Ond ai dychymyg yn unig fydde hwnna?

Na dwi'n meddwl 'i fod o'n wahanol iawn. Yn un peth, do'n i ddim yn cael llawer iawn. Doedd 'na ddim plant o gwbwl yn dod i'r tŷ i chwarae efo fi fel mae'r rhan fwyaf o'r plant erill yn gael. O na, mi fydda' nhad a mam yn dweud 'What do we want these little gorgeous for?' – pobol oedd ddim yn sipsiwn yn de. A wedyn ro'n i'n cael y cŵn i chwarae, a'r cŵn oedd yn mynd efo fi lawr i waelod yr afon ac yn hela llygod mawr ac yn dringo coed ac yn chwarae efo 'mrawd i ddysgu saethu rhyw bistol neu rwbath. Lot o betha fel'na o'n i'n neud.

A Saesneg o'dd iaith yr aelwyd?

Susnag oedd iaith yr aelwyd. Roedd fy nhad wedi cael ei fagu yn Sir Drefaldwyn a wedyn roedd fy nain yn sipsi pur yn te. Roedd hi'n medru'r Romani a'r Susnag, ac ar un adeg roeddan nhw'n medru digon o Gymraeg hefyd ond ddim yn y teulu felly. A wedyn Gwyddal oedd ei thad hi, fy hen daid i. A wedyn doedd 'na ddim Cymraeg i'w gael.

A wedyn i'r ysgol, Ysgol Eglwysig Glanogwen, a Saesneg oedd yr iaith fan hyn?

O, Susnag o'dd yr iaith yn gyfangwbl yn yr ysgol. Hyd yn oed hefo'r rheiny oedd yn Gymry, Cymry bach Cymraeg yn te. Mae'n debyg mai oherwydd bod yr eglwys mor Seisnigaidd yn y cyfnod hynny.

Oedd hi'n anodd i chi dderbyn disgyblaeth yn yr ysgol?

Oedd yn wir, roedd yn anodd iawn i fi gyrraedd yno erbyn yr amser iawn i gychwyn petha. Ro'n i'n crwydro ar hyd y caeau ar y ffordd i'r ysgol, neu ro'n i'n mynd wrth ymyl yr afon ac yn cyrraedd yn hwyr. Jones y prifathro yn deud drefn yn de. Roedd o'n deall hefyd achos roedd o'n gwbod am y teulu. Roedd o'n reit dda mewn gwirionedd, ond o'n i yn cael ffrae efo fo amball waith!

Ond beth am waith ysgol wedyn?

Hynny o addysg oddan ni'n gael, o'n i'n meddwl fod o'n reit rhwydd. Yr unig beth o'n i ddim yn gallu'i wneud yn yr ysgol, a dwi'n dal ddim yn gallu, dwi'n casáu ffigyrau.

Pan oedd hi'n amser syms, druan ohona' i. Ond ro'dd gen i cyfaill, a ro'n i'n sgwennu. Os oedd angen sgwennu rhyw draethawd bach neu ddeud rwbath am lle oedden ni wedi bod neu be oedden ni wedi'i weld, ro'n i'n sgwennu hwnna iddo fo a wedyn roedd o'n rhoid atebion y syms i fi!

Ond fe adawoch chi wedyn yn dair ar ddeg oed?

Yn dair ar ddeg oed yn gadael yr ysgol, a cyn hynny ro'n i ar dop y dosbarth a do'n i ddim yn gneud dim llawar o waith o gwbwl – dim ond rwbath o'n i'n hoffi neud. Dwi'm yn deall pam oedd yr athro wedi gadal i fi neud hynny chwaith. Ma' raid ei fod o wedi dod i'r casgliad erbyn hynny nad oedd dim modd neud rhyw lawar iawn efo fi.

Oeddech chi'n hoff o ddarllen?

O'n i'n darllen pob math o betha. Oedd yn well gen i gael llyfrau bechgyn o lawar yr amser hynny, *Billy Bunter* a petha felly. O'n i wrth fy modd hefo'r rheina, *St Jim's* a *Greyfriars*.

Ond pam adawoch chi yn dair ar ddeg achos ma'n amlwg bod gyda chi'r gallu i fynd ymlaen?

Roedd yr athro, Mr Jones, wedi cael gair gyda 'nhylwyth i. Yr amser hynny roeddach chi'n gorfod pasio arholiad i fynd i'r Cownti, a roedd o wedi deud wrth fy nhad a mam, *'Why don't you let her try the examination, because she'll pass it very easily, there'll be no trouble over it at all.'* Oeddan nhw'n rhyw hannar ystyried y peth, ond yn anffodus amsar hynny roedd 'na ffarm dros y cae inni. Thomas's oedd eu henwau nhw, ac roedd Gracie Thomas newydd fynd i'r Brifysgol. Oeddan ni'n gallu gweld ei stafell hi o llofft ni, trwy edrych allan yn y nos, ac roedd gola Gracie'n dod ymlaen yn y llofft, a mam yn deud, *'Oh, look poor little Gracie, look how she's got to study there to go to that college.'* Dyna oedd agwedd mam, a wedyn pan ddoth yr amser do'n i ddim yn cael mynd, oherwydd bod Gracie wedi marw yn ei blwyddyn gynta yn y coleg. Roedd hi wedi cael TB ne' rwbath ac wedi marw, a hynny wedi ypsetio mam yn gyfangwbwl. Doedd hi ddim am ystyried y peth wedyn yn te.

Chi wedi dewis Gigli fel eich ail record.

Do, Benjamino Gigli yn canu *Nesun Dorma, Ni chwsg neb.*

* * *

Odd Gilli'n dipyn o arwr 'da chi pan o'ch chi'n ferch ifanc?

O oedd. Roedd 'na denoriaid operatig ar y radio ers talwm ac o'n i wastad yn troi'r nob nes o'n i'n clywed un o'r rheina. Pan o'n i tua un ar bymtheg, fel pawb ifanc ro'n i'n meddwl am pa fath o ŵr o'n i'n mynd i gael. Y syniad oedd gen i oedd y bydda fo'n Eidalwr, a nid yn unig yn Eidalwr, oedd o'n gorfod cael llais bendigedig fel rheiny o'n i'n gwrando arnyn nhw ar y radio. A doedd o ddim i fod i neud llawer o waith, dim ond rhoid ei amsar i gyd i ganu i fi!

Ydych chi wedi hiraethu na fyse chi wedi cael mynd ymlaen â'ch
addysg, mynd i goleg?

Mewn ffordd mae'n debyg. Mi fase, mae'n debyg, wedi
rhoi trefn ar fy meddwl i. Ond dwi'm yn siŵr os faswn i
eisia cael trefn ar fy meddwl.

Falle na fyddai'n bosib rhoi trefn ar y meddwl.

Dwi'm yn gwybod. Ond mae o'n help i chi sut i
ddefnyddio'r twls yn te – gramadeg ac ati, ne' os ydach
chi eisio sgwennu ne' rwbath ne'i gilydd. Mae'n gneud
gwahaniaeth.

Beth o'ch chi'n neud wedyn 'te wedi gadael yr ysgol yn dair ar
ddeg?

Hwnna'n gwestiwn yn tydi. Aros adra. O'n i'n dysgu'r
delyn ar wahân i ddysgu gan fy nhad. O'n i'n mynd lawr
at Alwena Roberts yn y Brifysgol, ac o'n i'n dysgu ganddi
hi hefyd. Felly roedd hwnna'n mynd â dipyn o amser, o'n
i'n gorfod ymarfer hefo hwnna. A wedyn roedd y cŵn gen
i, ac yn amal iawn o'n i'n trenio rhyw gi arbennig i gario,
pan fysa'r Arglwydd Penrhyn eisio rhywbeth. Roedd fy
nhad yn mynd â'r cŵn allan hefo nhw yn de.

Ar beth o'ch chi'n byw yn ariannol?

Doedd dim eisio talu am y tŷ o gwbwl 'dach chi'n gweld,
ac roedd hwnna amsar hynny yn beth mawr iawn. A
wedyn oddan ni'n cael digon o gyflog mewn gwirionedd.
Hefyd roedd fy mrawd yn gweithio. Roedd o ddeg

mlynadd yn hŷn na fi, a wedyn o'n i'n cael arian gynno fo. A ro'n i'n cael arian gan fy mam a nhad, achos 'mod i'n helpu nhw, i fod yn te. Ro'n i allan lot o'r amser mae arna'i ofn, yn crwydro'r goedwig a petha felly. Do'n i ddim angen llawar nag yn gofyn am lawar, achos roedd gen i'r wlad o gwmpas 'dach chi'n gweld, a'r cŵn a'r delyn. A wedyn os o'n i am fynd i ryw ddawnsfeydd neu ryw hop, mynd i fyny i JP's, cerdded i fyny fanno. Chwe cheiniog o'dd o i fynd i mewn, dwy geiniog i gael bar o *chocolate*, dwy geiniog i fynd i mewn i'r lle pictiwrs dydd Sadwrn, a dwy geiniog i gael pys a *chips* ar ôl dod allan. Roedd bywyd yn braf 'dach chi'n gweld. Doedd dim eisie rhagor.

Chi 'di dewis tenor arall fel trydedd record, a tenor o Gymru y tro yma . . .

Dwi'n credu bod na dinc Eidalaidd yn llais David Lloyd hefyd . . .

* * *

Aethoch chi i fyw at Nansi Richards am gyfnod. Wel dyna beth oedd profiad faswn i'n meddwl.

O diar annwyl ia. Mi ddo'th Nansi [Telynores Maldwyn] rhyw ddiwrnod i'n tŷ ni yn Bethesda, achos roedd hi'n nabod 'y 'nhad ers talwm. Roedd o wedi rhoi 'chydig o wersi ar y delyn iddi pan o'dd hi'n ifanc, ac roedd hi'n galw i weld o. Mi benderfynodd hi wedyn 'mod i'n gorfod mynd efo hi. *'She's not doing anything here,'* meddai Nansi wrth mam a 'nhad. *'She may as well come with me, and we'll have her playing the harp with* Côr Telyn Eryri.' Doedd fy mam ddim yn fodlon iawn, ond 'na fo. Ges i fynd. Ac yn Hafod y Porth [Beddgelert] fues i am flwyddyn bron. Ma'r atgofion am yr amser hwnnw'n dal yn fyw. Mi gafodd Nansi un diwrnod y syniad y byddai buchod yn rhoi mwy o laeth wrth iddyn nhw glywed miwsig. Felly oedd hi cofiwch, mi oedd hi'n cael syniadau rhyfedd iawn weithiau. Felly roedd rhaid i mi a merch arall – roedd 'na ddwy neu dair ohonan ni os dwi'n cofio'n iawn – ganu'n telynau ar ochor yr Aran, tra oedd Nansi a'r gŵr yn godro. Ma' hwn yn hollol wir i chi. A ro'n i'n meddwl, pe digwyddai pobol ddod i fyny a gweld rhyw dair o delynorion fan hyn yn canu telynau a'r godro buchod yn mynd ymlaen yn y gongl arall, dwn i'm be fasa'n nw'n feddwl ohonan ni!

Ond allen i ddychmygu byddech chi'n cydfyw yn dda iawn, chi a Nansi Richards?

Roeddan ni'n iawn efo'n gilydd. Grêt achos ro'n i'n mynd o gwmpas hefo nhw weithiau, efo Côr Telyn Eryri i ganu'r delyn. Un diwrnod mi ddaethon ni i mewn tua tri o'r gloch yn bora ag o'dd 'i gŵr hi, Cecil, yn y gwely. A Nansi a fi yn ista lawr o flaen y tân ac yn byta *orange*, dwi'n cofio'n iawn. A tra oedd hi'n pilio'r *orange* 'na a rhoid y croen yn y lle tân, dyma i'n deud, 'Duwcs beth am fynd i Marian-glas.' 'Cecil!' medda hi, 'Cecil. Dowch i lawr, dowch i lawr. Dan ni eisio mynd i Marian-glas.' 'O Nansi fach, be sy'n bod rŵan?' medda Cecil, yn dod lawr yn ara deg ac yn tynnu'i drwsus i fyny wrth ddod lawr y grisiau am dri o'r gloch y bore. Anghofia i byth mo hwnna. A ffwrdd â ni yn y car – Cecil druan yn gorfod gyrru'r car i Marian-glas. A wedyn mi gawson ni frecwast yn fanno.

O ie wir. Roedd ei hysbryd hi mor aflonydd â'ch ysbryd chi?

Oedd, oedd. Roedd y ddwy ohonan ni mor ofnadwy yn
cael crwydro yng nghefn Hafod y Porth i fyny'r Aran lle'r
oedd 'na ryw ffrydia bach yn dod lawr. Lle bendigedig
cofiwch. Roedd o'n hyfryd, y grug a'r ehedydd a phopeth.
Fedrwch chi'm meddwl am well lle. Nansi a fi'n mynd i
fyny fanno a dwi'n cofio'n iawn, dyma hi'n llithro ar ryw
garrag yng nghanol yr afon 'ma ac yn ista yng nghanol y
ffrwd ar ei phen ôl. 'Grêt, twt,' meddai, 'Dwi'n mynd i
fwynhau hwn' a dyma hi'n dechrau mynd i'r dŵr yn iawn
ac yn sblasio o gwmpas yn y dŵr. Un fel 'na oedd hi.

*Felly ma' raid inni gael Nansi Richards i ganu'r delyn yn does.
Beth ydych chi wedi'i ddewis?*

Y *Wrexham Hornpipe*, rwbath fel'na. Roedd fy nheulu fi'n
canu'r gân yna ac roedd Nansi'n hoff iawn ohoni. Pan
oeddwn i yn Côr Telyn Eryri roedd hi'n neud i fi ganu'r
diwn drosodd a throsodd.

* * *

Pryd gwrddoch chi â'ch gŵr 'te, sef yr Athro Fred Jarman?

Ar ôl i fi ddod o Feddgelert oedd hi beth bynnag, dwi'
meddwl mai yn yr haf cyn i'r rhyfel ddechra ym mil naw
tri naw. Dydi o ddim yn hawdd iawn i fi gofio petha
fel'na.

A wedyn yn ystod y rhyfel, beth o'ch chi'n neud?

Roedd pawb yn gorfod gneud rhwbath, ac roedd y syniad yna o orfodaeth yn ofnadwy i mi. Ond y peth hawsaf oedd mynd i'r *Land Army*, byddin y tir, a gwisgo'r clos felfared 'ma a'r jersi wyrdd a'r holl lot i gyd ar wahân i'r het. O'n i ddim yn gwisgo het. Gawson ni fis o drenio yn Llysfasi, dim ond mis cofiwch, ac roedden nhw'n disgwyl i'r merched wedyn wybod popeth am ffarmio, yn barod i weithio ar y tir. Roedd o'n ofnadwy. Roedd rhai o'r merched o Lerpwl a Manceinion wedi dod yna a doedd gynnon nhw ddim syniad. A'r diwrnod cyntaf be oeddan nhw'n gorfod neud, a ninna hefo nhw wrth gwrs, cyn brecwast, oedd mynd i garthu cytia moch. Dyna'r job gynta. Ac os ydach chi'n gwbod rwbath am foch, ma'n nhw'n drewi chi'n gwbod. Carthu'r cytia i gyd yn lân neis, ac roedd y merched 'ma'n ffraeo efo'i gilydd ac yn gofyn pwy oedd wedi rhoi rhyw job ofnadwy fel hyn cyn bwyd. Oeddan ni'n meddwl na fasan ni ddim yn bwyta brecwast o gwbwl, ond fasach chi'n synnu faint o frecwast oddan ni'n fyta ar ôl y gwaith!

Beth am y stori 'ma amdanoch chi'n dal llygod? Llygod mawr hynny yw, nid rhyw lygod bach.

Ia, ia, faswn i ddim yn boddran i ddal llygod bach siŵr. Mi aethon ni i Baron Hill am naw mis hefo Syr Richard Buckley yn ffarmio'n gyffredinol efo pymtheg o ddynion, ac roedd rheiny'n tynnu'n coesau ni yn ofnadwy. Jones y beiliff oedd yn gofalu amdanon ni. Cefn Strodur oeddan ni'n ei alw fo. Strodur ydi'r harnes ar gefn ceffyl sy'n cario'r baich. Fo oedd yn cario baich y ffarm i gyd yn ystod y rhyfel, chwara teg iddo fo, a felly cafodd o'r llysenw Cefn Strodur. Ond mi ddoth 'na ddwy o ferched o Lerpwl i'r ffarm a mi welodd Jones nhw, a dyma fo'n deud *'You go to the upper field to get the mangels out.'* Dyma'r merched yn mynd i'r cae top, a dyma nhw'n ôl ata' i. Roberts oedd f'enw i a Bobby o'n i'n cael fy ngalw yn y fyddin y tir 'ma. *'Bobby,'* meddan nhw, *'I don't know what's the matter with that man. We've been up to that field and we can't see any mangles anywhere, and what does he want mangles for – we couldn't carry mangles down from there.'* Roeddan nhw'n meddwl am fangls dillad yn lle mangels, y llysiau 'na fel rwdan neu swejan sy'n fwyd i anifeiliaid.

Ond beth am y llygod mawr 'ma. Shwt oeddech chi'n dal rheiny?

Yn bellach ymlaen oedd hwnna. O'n i'n beryg iawn amser hynny, ddweda'i hynny wrthach chi! O'n i yn yr hostel yn y Borth, ac wedi cael y job 'ma o fynd rownd efo'r dyn proffesiynol oedd yn dal llygod. A wir i chi, roedd o'n edrych fel llygoden ei hun, trwyn main a phopeth. Ond roedd o'n dda iawn, yn dangos lle'r oedd y llygod mawr 'ma'n mynd. Roeddech chi'n gallu gweld y math o shein oedd ar y cerrig lle'r oeddan nhw'n mynd, a'r tyllau a petha felly. A dyna pam o'n i'n deud 'mod i'n beryglus 'ramsar hynny – roedd gynnon ni gan o arsenic mewn un llaw a llwy efo handl hir yn y llall. Roeddan ni'n gorfod mynd rownd wedyn i fwydo'r tylla 'ma efo math o *aniseed* gynta am dri diwrnod, a wedyn peidio neud am y pedwerydd diwrnod, a wedyn y pumed diwrnod oeddach chi'n mynd lawr ac yn rhoid yr arsenic lawr y tyllau 'ma. Y pethau bach druan yn de. Ac roedd hwnna'n lladd y llygod mawr. Roedd bwyd yn brin chi'n gweld ac roedd rhain yn cenhedlu bob rhyw dair wythnos, os dwi'n cofio'n iawn, a tua naw yn y torllwyth.

Chi 'di dewis tenor arall, ac Eidalwr arall.

Pavarotti. Cofiwch, tydi llais Pavarotti ddim cystal â llais Gigli oherwydd ei fod ychydig yn gletach a does 'na ddim yr un anwesu ar y nodau.

* * *

Fe briodoch chi ac yn y pen draw dod i Gaerdydd a gorfod setlo mewn dinas.

Ia, ia roedd hwnna'n beth anodd iawn 'i neud ma' raid i fi ddeud. Ac roedd Teleri wedi cael 'i geni erbyn hynny, y ferch hyna', roedd hi tua dwyflwydd pan oeddan ni'n dod lawr. Ond cofiwch dwi'n meddwl mai geni Teleri oedd wedi 'nghadw fi reit soled beth bynnag, a'r unig beth o'n i'n gallu neud oedd symud o dŷ i dŷ.

Ydych chi'n dal i feddwl weithie falle y byddech chi wedi bod wrth y'ch bodd yn byw bywyd sipsi?

Wrth edrych yn ôl, a'r wybodaeth sy' gen i, mi faswn i wrth fy modd yn byw bywyd sipsi. Ond mi fysa'n rhaid i mi gael digon o arian yn y cefndir, a wedyn mi faswn i'n iawn. Ond mi fydda' i'n meddwl yn amal iawn, petai rhywbeth yn digwydd i'r tŷ neu rwbath, mi faswn i'n gofalu yn gynta bod y gŵr allan yn saff, wedyn bod y ci allan, a wedyn fy nhelyn, ac mi faswn i'n hollol iawn.

Faswn i ddim yn poeni am ddim byd arall.

Ydych chi'n dal i chwennych symud o dŷ i dŷ?

O ydw, dwi wrth fy modd yn symud o dŷ i dŷ. Mae o y nesa peth i fynd rownd efo carafán pan ydach chi'n symud bob dydd. Ond neith fy 'ngŵr i ddim symud nawr. Mae wedi rhoid stop arnai rŵan. Yma bydda i rŵan.

Nawr ry'ch chi'n perthyn i ddau leiafrif; o'n i'n dweud ar y dechre nad y'ch chi ddim yn ystyried eich hunan yn Gymraes mewn gwirionedd?

Wel nac'dw. Mae 'Nghymreictod i yn rwbath ar y wyneb mewn gwirionedd. Dwi'n teimlo'n ddigon dwfn ynglŷn â'r angen i Gymru fod yn rhydd a petha felly. Wnes i ymuno â Phlaid Cymru oherwydd hynny, oherwydd fy syniad i o ryddid. Mi ddyla pob cenedl fod yn rhydd. Ond ar wahân i hynny . . . mae'n anodd iawn i ddeud . . . mae fy holl bersonoliaeth i yn Susnag.

Ond hefyd yn sipsi.

Yn sipsi, o ia. Y sipsi sy'n gwisgo'r iaith Susnag. Ond ma'r teimlada yn ddwfn iawn iawn.

Chi'n meddwl falle bod gwell gobaith gan y sipsi i oroesi nac sy' ganddon ni Gymry Cymraeg?

Mae iaith y sipsi, i gychwyn petha, bron wedi diflannu. Dyna'r peth, neu un o'r petha ddylwn i ddeud, sy'n eu gneud nhw yn llwyth ar wahân. Dydyn nhw ddim yn genedl yn yr ystyr yna. Ond mi fydd rhai ohonyn nhw, mae'n siŵr, yn goroesi. A dwi'n gobeithio'r nefoedd neith Cymru hefyd.

Ry'n ni'n mynd i glywed pwy i orffen?

Manitas, oherwydd mai sipsi ydi o, ma'i fiwsig o'n fyrfyfyr. Ac mae o'n tynnu'r galon allan o'r gitâr weithiau. Ma'r miwsig yn crwydro fel y mynn.

'Fedrwch chi ddim coelio'r un gair mae bardd yn e'i ddeud!'

R.S. Thomas

Bardd, Offeiriad

Darlledwyd: 29 Chwefror a 7 Mawrth, 1996 (dwy raglen)

Cerddoriaeth:
1. *An Sagairtin:* Deora Aille (Cân o Werddon)
2. *Symudiad Araf Der Leierman gan Schubert:*
wedi ei chwarae gan Dietrich Fischer Dieskau
3. *I Wagedd ac Oferedd Byd:* Aled Lloyd Davies
4. *The Creed:* The Russian Metropolitan Church Choir
5. *Rondo* gan Saint-Saëns yn cael ei ganu gan Ici Evets
6. Marlene Dietricht yn canu *Der Leiermann* gan Schubert
7. *Dies Irae* gan Verdi

Beti George:

Dwi rioed wedi cwrdd ag R.S. Thomas y bardd tan heddiw. Dwi erioed tan heddiw wedi'i weld e yn y cnawd. Dyw e ddim yn dod lawr aton ni yn y De os na fydd raid. Felly rwy' wedi gorfod dibynnu ar lunie ohono i weld sut un oedd e. Ac mae'n rhaid cyfadde d'yn nhw ddim ar y cyfan yn cynrychioli gŵr sy'n hael ei groeso. Ond dyw llunie ddim bob amser yn dweud y gwir. Mae'n well gen i gredu yn y llun ohono sy' ar glawr ei hunangofiant Neb gyda gwên hyfryd ar ei wyneb hawddgar. Mae e wedi cael ei ddisgrifio fel meudwy, fel gŵr tanllyd 'i dymer, y Welsh ogre *ac yn* cantankerous old man. *Ond do's dim raid i ni gredu pob gair sy'n cael 'i ysgrifennu amdano chwaith. Mae'n well gen i droi at 'i gerddi a'i hunangofiant gan hyderu mai'r darlun a geir yn y mannau hynny yw'r un cywir . . .*

Pa mor hapus eich byd y'ch chi nawr wedi dod nôl i Fôn, eich gwynfyd? Nefoedd ar y ddaear i chi?

R.S. Thomas:

Dwi wedi adennill fy maboed dwi'n credu. Mae 'na rywbeth yn yr awyr sydd yn atgoffa fi o'r amsar pan o'n i'n hogyn yn te. Ac felly dwi wedi cael byw eto.

Felly dyna apêl Môn i chi, oherwydd eich bod chi wedi cael eich magu ar 'i daear hi?

Debyg iawn. Hwntw fel dwi wedi dweud, Hwntw ydw i, ond mi ges fy magu yn y Gogledd, ac felly y Gogledd sy'n galw yn te.

Sut y'ch chi'n treulio'ch dyddie, y dyddie hyn felly?

Dwi'n trio dal at yr hen raglen o ddarllen a sgwennu yn y bore, mynd allan am dro yn y prynhawn a chael rhywbeth arall i 'neud gyda'r nos.

Beth yw'r peth arall hwnnw felly, chi'n neud gyda'r nos?

Dwi ddim am ddweud . . . mmm, ie.

Ma'r ansoddeirie 'ma'n cael 'u defnyddio amdanoch chi: 'y dyn piwis, blin' a'r 'ogre Cymreig' . . . O'n i'n edrych yng Ngeiriadur Bruce Griffiths gyda llaw, a'r gair Cymraeg am 'ogre' ydi 'cawr canibalaidd'! Ond chi'mbod, pan y'ch chi'n clywed y geiria 'ma'n ca'l 'u defnyddio amdanoch chi, beth yw'ch ymateb chi? Y'ch chi'n cael rhyw 'werthiniad bach i'ch hunan?

Ma'n dibynnu, dwi'n credu, mae adroddiadiau pobol eraill amdanoch yn dibynnu ar sut ddaethon nhw atoch chi. Os 'di pobol yn dŵad atoch chi braidd yn haerllug, mi gân nhw ateb haerllug yn ôl. Os ydi pobol yn dŵad atach chi dan wenu a trio gneud i chi deimlo'n gartrefol, 'dach chi'n cynhesu tuag atyn nhw wrth gwrs. Ac felly ma' pobol sy'n dweud petha drwg amdanoch chi – ella bod nhw wedi gofyn amdani yn te.

Y'ch chi'n meddwl falle bod hi'n wendid ynddon ni'r Cymry beth bynnag bod ni am i bobol drwy'r byd i gyd ein hoffi ni?

Faswn i ddim yn meddwl fy hun. Dwi'n credu mai ar y Sais mae eisiau cael 'i garu. Ma'r Sais yn dŵad i Gymru er enghraifft, ac wrth gwrs mi ddwedis i rioed bod o'n prynu croeso yn te. Dwi ddim eisio dweud pethe cas am y Sais wrth gwrs, mae o'n hael dwi'n credu, mae'n lluchio 'i bres o gwmpas yn well na ni y Cymry yn te. Ond na, taswn i'n gorfod dewis, faswn i'n dweud bod na fwy o eisie ar y Sais nac ar y Cymro i gael 'i garu.

Y'ch chi yn edmygu'r Sais?

Mae'n agwedd i yn gymysg, yn gymysg iawn. Yn sicr mae 'na rinweddau ynddo fo. Ydi hyn yn deg, dwi ddim yn gwbod, ond cymerwch chi Ymchwiliad Scott [ar allforio arfau i Irac, cyhoeddwyd yn Chwefror 1996]. I ni'r Cymry mae hyn yn brawf o'r ffaith fod neb yn gallu dallt y Sais. Mae o'n gwamalu ac yn mantoli pethau . . . 'ar yr un ochr 'dach chi'n euog, ar yr ochr arall 'dach chi ddim yn euog' . . . A dwi'n credu bod y gweddill o'r byd yn 'i chael hi'n anodd iawn i ddallt y Sais yn te.

Beth yw 'i rinwedde fe felly?

Ymmm . . .

Y'ch chi'n 'i chael 'i'n anodd!

Dw'n i'm. Pan o'n i yn Eglwysfach mi roedd y bobl yn yr ysgol breswyl yno, oeddan nhw'n Saisgarwyr wrth gwrs, ac yn canmol y Sais i mi ac yn dweud hyn a'r llall, bod pawb yn edmygu'r Sais, ac o'n i'n dweud, wel fasan ni'n falch o gael clywad rhywun arall ond y Sais yn 'u canmol nhw yn te, oherwydd tydi'u henw nhw ddim mor dda ymhlith y cenhedloedd eraill. Dwi'n credu ar y cyfan bod nhw'n bobol deg yn te, ar y cyfan. Ond dw'n i'm. Well gen i'r Cymry!

Felly o'ch chi'n sôn fan'na am Adroddiad Scott. Fe fyddwch chi'n gwrando ar radio?

Jest i gael y newyddion, i gael clywad beth sy'n digwydd yn te . . . Dwi ddim yn wrandawr astud o gwbwl.

Ond dim teledu?

Nagoes, nagoes. Fyddwn i byth yn cymeryd papur newydd, ond dwi wedi dechra oherwydd 'mod i'n byw hefo rhywun sydd yn hoff o weld y papur. Mi fyddwn ni'n derbyn y *Times* rŵan, a dwi jest yn darllen y penawdau ac yn y blaen. Na, dwi ddim yn ddarllenydd nac yn wrandawr.

Ry'ch chi 'di dewis cân o Iwerddon fel eich un gynta. Y'ch chi'n hoff o Iwerddon, achos fe aethoch chi draw yno yn do ym mil naw tri wyth, ac fe gawsoch chi'ch hudo gan y wlad?

Do, mi es i'r gorllewin i Connemara ac yn y blaen, ac roedd y Wyddeleg yn dal i gael 'i siarad yn fan'na yn fwy cyhoeddus nag erbyn hyn. Ond dwi wedi cadw cysylltiad efo'r Gwyddelod a taswn i'n cael fy amsar drosodd faswn i'n dysgu'r Wyddeleg dwi'n credu. Mae 'na fwy o Wyddelod sy'n medru Cymraeg nag sydd o Gymry yn medru'r Wyddeleg.

Gawsoch chi, gyda llaw, eich temtio i fynd at yr Eglwys Babyddol o gwbl?

O naddo, naddo. Mae'u record nhw'n rhy sâl, record y Pab yn y gorffennol. Mae'r Pab wedi ochri gyda'r Saeson yn yr Oesau Canol er enghraifft yn te. Roedd y Pab o blaid y Saeson yn erbyn y Cymry. Dwi byth wedi maddau iddyn nhw.

Beth am yr hyn sy'n digwydd yng Ngogledd Iwerddon nawr te, ar hyn o bryd. Y'ch chi'n gweld unrhyw obaith o gwbl?

Mae'n anodd bod yn broffwyd yn tydi? Ella caiff yr IRA eu hynysu yn y diwadd yn te, ond mae rhywbeth tebyg efo Meibion Glyndŵr. Mi fydda' pobol yn gofyn imi bob amser o'n i o blaid trais ac yn y blaen, ag o'n i'n ateb bob amsar, 'Wel na dwi ddim o blaid trais, ond dwi'n gweld y rheswm'. A mae'r un peth yn wir yn 'Werddon, ond bod hi'n waeth. Mae'r IRA'n waeth na Meibion Glyndŵr wrth gwrs, ond 'dach chi'n gweld y rheswm. A dwi'n gweld Lloegr wrthi o hyd efo'i hen driciau . . . felly dwi ddim yn obeithiol iawn, ond gawn ni weld.

Felly, be chi 'di ddewis fel eich record gyntaf chi?

O cân o 'Werddon yn te, oherwydd dwi'n edmygu y ffordd ma' nhw wedi traddodi y caneuon yma o genhedlaeth i genhedlaeth, y genod yn dysgu gan 'u mamau, ag wedi cario'r traddodiad. Mi es i drosodd ar ôl y rhyfal, oedd 'na Gyngres Geltaidd, a mi glywes i hogan o Connemara yn canu un o'r caneuon yma, ac mi aeth â'm bryd i.

* * *

Y'ch chi erioed wedi hiraethu na fysech chi wedi dewis gyrfa arall? Dwi'n meddwl amdanoch chi, allech chi fod yn Warden Parc Cenedlaethol da iawn er enghraifft.

Na, dwi'm yn credu, faswn i wedi mynd dan groen y rhan fwyaf o'r ymwelwyr dwi'n credu, fel 'dach chi 'di deud, yr hen *ogre* yn te. Na, yr offeiriadaeth oedd yr unig yrfa yn agored i mi dwi'n credu. Wnes i ddim fawr o siâp ar honno chwaith.

Ond pam mai dyna oedd yr unig yrfa? Beth arweiniodd chi i gymryd yr urddau eglwysig? Gawsoch chi'ch galw?

Pwy sy'n gwybod sut mae yr Arglwydd yn galw yn te. Oedd fy mam, dwi wedi dweud lawer gwaith, mi gollodd 'i rhieni yn ifanc a mi ga'th 'i magu gan ryw lysfrawd oedd yn Ficer yn ne Cymru, yn Llanilltud Fawr. Roedd hi'n awyddus wrth gwrs i mi gael mynd i'r eglwys a wnes i ddim gwrthod oherwydd, dwn i ddim, doeddwn i ddim yn ysu gwneud unrhyw beth a dweud y gwir fel llawer llanc yn te. A dyna sut oedd yr Arglwydd yn galw.

Felly oedd eich mam yn mynychu'r eglwys yn gyson?

Oedd, yn hwyr bob amser ond . . .

Ond roedd hi yno cyn y diwedd! Sut ddaethon nhw i Gaergybi gyda llaw, achos fel o'ch chi'n deud, hwntw y'ch chi, eich tad yn dod o Landysul yn Sir Aberteifi a'ch mam o Lanilltud Fawr. Felly sut o'n nhw 'di dod i Gaergybi?

Wel, llongwr oedd fy nhad wrth gwrs.

Oedd e'n gapten llong?

Yn y diwedd, oedd, ond mi aeth yn fyddar. Roedd o ar y llongau rhwng Caergybi ag Iwerddon – swyddog oedd o, ond mi aeth yn fyddar, oddeutu hanner cant oed mae'n debyg, ag roedd o'n gorfod rhoi'r gorau i'r môr. Ond dyna sut ddaethon nhw i Gaergybi ar ôl y Rhyfel Byd Cyntaf, roedd o ar long yn y rhyfal, ag ar ôl hynny roedd o'n chwilio am waith, a mi ga'th waith fel swyddog ar y llongau.

Do'n nhw ddim yn or-hoff o Gaergybi, o Fôn, yn ôl eich hunangofiant chi?

Oedd fy mam, ond doedd fy nhad ddim – roedd o'n dal i hiraethu am Landysul dwi'n credu – pysgota yn y Teifi . . .

Dwi ddim yn 'i feio fe wrth gwrs! Ond yn eich hunangofiant ac yn eich cerddi hefyd ry'ch chi'n gallu bod yn llawdrwm iawn ar eich mam yn dy'ch chi?

Wrth edrych yn ôl wrth gwrs, 'dach chi'n tueddu i anghofio'r pethau da wnaeth hi i mi pan o'n i'n ifanc – paratoi'r bwyd, yn fy nghadw fi'n lân ac yn y blaen, ond fel es i'n hŷn wrth gwrs, doedd hi ddim yn gallu llacio'i gafael dwi'n credu, oherwydd bod 'Nhad wedi bod i ffwrdd mor amal, arni hi syrthiodd y baich o'm codi a'm magu. Ond dwi'n diolch iddi hi am adael i mi grwydro'n rhydd, mi ges i ddigon o ryddid i grwydro yng Nghaergybi – ond efo petha eraill roedd hi'n rhy gyfyng arna' i dwi'n credu.

Oedd hi ddim yn gallu siarad yr iaith felly, o Lanilltud Fawr?

Sais-Gymry oedden nhw wrth gwrs.

Hyd yn oed eich tad?

Ella fod o pan oedd o'n hogyn yn Llandysul, ella fod 'i dad yn Gymro Cymraeg. Roedd 'i fam yn Gymraes o Fro Morgannwg, felly siŵr bod hi yn medru'r iaith. Ond wedi colli 'u tad roedd yr hogiau'n gorfod troi allan i gael bywoliaeth. A mi aeth o i'r môr yn un ar bymtheg oed yn brentis, ac mi gollodd y tipyn bach o Gymraeg oedd gynno fo mae'n debyg.

Y'ch chi'n dweud hefyd, mai rhyfedd ac efallai allweddol yw'r berthynas rhwng mam a mab. Be sy'n rhyfedd obytu'r peth os ga' i ofyn?

Oedd 'na rywbeth ynddi hi oedd yn brwydro i ddatblygu yn fardd. Ond wrth gwrs, oherwydd bod hi'n wraig yn byw 'radeg honno, nid 'run fath â'r genod sy'n byw heddiw, roedd hi yn methu datblygu yn fardd, ac felly mi syrthiodd y fantell arna' i. Ac ella bod hi, dw'n i'm, dipyn bach yn genfigennus efallai yn te, ond mae 'na ryw berthynas mae'n debyg iawn.

Oedd hi'n hoff o'ch cerddi chi? Oedd hi'n hoff o'r hyn o'ch chi'n neud?

Nagoedd, am wn i. Doedd fy ngherddi i ddim yn ddealladwy iddyn nhw. Roedd yn dipyn o wyrth i'm tad, yn rhywbeth tu hwnt iddo fo fel llongwr, 'mod i'n sgwennu. Mi fyddai o'n darllen llyfrau am y môr ac yn y blaen, byth yn darllen barddoniaeth, na Mam chwaith. A felly ro'n i braidd yn annealladwy iddyn nhw yn te.

Pan y'ch chi'n sôn am y berthynas rhwng mam a mab, bod e'n allweddol, ma' Freud yn dweud mai ar y fam mae'r bai am wendidau dynion yn dydi?

Hm.

Dwi'n meddwl bod e'n annheg yn hunan yn de.

Ie. Wrth edrych yn ôl, fel o'n i'n dweud, tasa 'Nhad wedi bod gartref fwy, fasa fo wedi cael mwy o law yn fy magu. Dwi'n credu mi ddylie hogyn deimlo dylanwad 'i dad yn te, ond oherwydd fod o i ffwrdd mor amal, mi syrthiodd gormod, dwi'n credu, gormod o faich ar 'sgwyddau Mam. Ac mae hyn i'w weld dwi'n credu yn fy nghyfansoddiad yn te. Oedd 'y nhad yn ddyn dewr cryf, ond mi adawodd fy magwraeth i Mam fwy neu lai.

Ond y'ch chi hefyd, chi'mbod, o'ch chi'n chwarae rygbi a petha fel'ny yndoech?

Rhyw fath o rygbi. Faswn i ddim wedi ennill lle hyd yn oed yn nhîm Cymru heddiw.

Ond mae 'na awgrym hefyd yn eich hunangofiant bod dylanwad eich mam arnoch chi wedi effeithio ar eich perthynas chi â'r rhyw deg?

Ie, oedd 'na rywbeth naïf yn Mam dwi'n credu oherwydd

bod hi wedi colli'i rhieni. Faswn i'n meddwl bod hi'n ddigon diniwed adeg y cyfarfu â 'Nhad yn te. Wnaeth yr un ohonyn nhw drio fy addysgu i am faterion bywyd, y pethau rhywiol ac yn y blaen, ag o'n innau hefyd yn ddigon diniwed wrth fynd i'r coleg ac felly roedd 'na rywbeth dirgel am ferched yn te.

A swildod wrth gwrs?

Swil. Ia.

Achos ydw i'n iawn 'mod i 'di'ch clywed chi yn dweud ar Radio Cymru un waith, nad y'ch chi erioed wedi caru neb?

Ie, mae cariad . . . Mae pethe fel hyn mor gymhleth yn tydyn nhw, ac mae'n ddigon hawdd wrth edrych yn ôl cael golwg unochrog ar bethau. Oedd Mam yn caru 'Nhad mae'n debyg pan oeddan nhw'n ifanc. Ond mae'n debyg iddyn nhw fod yn ddigon cyfrinachol megis, oeddan nhw ddim yn agored yn 'u hymddygiad o'm blaen i. Ac felly welis i ddim cariad agored megis yn te. Fasech chi'n meddwl am rai teuluoedd ella oedd yn fwy agored. A dwi'n tueddu i weld bai, ar bwy dwi ddim yn gwybod, am y ffaith na wnes i ddim dysgu sut i garu, ag ro'n i hefyd yn tyfu yn fachgen mewnblyg.

Achos ry'ch chi yn greadur, fasen i'n dweud, teimladwy, neu fasech ddim wedi dewis y math o recordie y'ch chi wedi ddewis. Er enghraifft mae Schubert yn amlwg yn hoff gyfansoddwr gennych chi. Ag os oedd rhywun yn gallu tynnu tannau'r galon, mi oedd Schubert yn gallu neud hynny yn doedd?

Hollol, ie. Wrth gwrs pan es i yn giwrad yn eglwys y Waun ro'n i'n mynd trwy gyfnod rhamantus iawn, a dwi'n cofio gwrando ar lawer o recordiau Schubert . . .

* * *

I fynd nôl at y ffaith eich bod chi'n Hwntw, ond do'ch chi ddim yn hoff o fynd i'r De pan o'ch chi'n blentyn dwi'n deall?

Wrth gwrs, wedi colli rhieni . . . Roedd fy mam yn dotio at ryw hen fodryb oedd ganddi hi yng Nghastell Nedd. A roedd hi'n hen ddynes annwyl iawn mae'n debyg, ond roedd hi braidd yn gyfyng arna' i, oedd hi'n Anghydffurfwraig o'r hen ddull yn te.

Yn cofio'r Diwygiad siŵr o fod, a rhyw betha fel'na?

Wel, ia. Ond dwi'n cofio fel hogyn, achos roedd y Sul yn gysegredig, oeddan nhw mor gul a dweud y gwir, doedd 'na ddim byd i gael ei neud ar y Sul. A dwi'n cofio, o'n i'n gwybod 'na fasa neb yn codi tan ryw naw o'r gloch y bore, mi fyddwn i'n mynd i fyny gyda'r nos efo rhyw lyfyr, a'r hen fodryb yn sbotio fi'n mynd i fyny'r grisiau yn de. 'O, Ronald 'dach chi ddim yn mynd i ddarllen petha fel hyn ar y Sul.' Wrth gwrs roedd hynny yn ddigon i neud bachgen bach bywiog yn anhapus iawn yn te! Ac yn wir, mi fyddwn i'n cael rhyw ddiffyg traul yn aml, mae'n debyg bod y peth yn dweud ar fy nerfau i yn te!

Dych chi ddim yn or-hoff o iaith y De ychwaith yn ôl rhai pethau chi 'di ddweud.

Wel, dwn i'm. Wrth gwrs, dwi wedi dŵad i ddallt y gwahaniaeth rhwng Saesneg a Chymraeg y De. Dwi'm yn credu bod neb yn gallu edmygu iaith Saesneg pobol y De. *'Put it by 'ere', 'Come by 'ere'*, ma'n nhw'n ddweud, petha fel hyn. Ond mae'n swnio'n iawn yn Gymraeg, dwi wedi dŵad i weld bod iaith, yn enwedig iaith genod y De yn ddigon pert, a dwi'n hoffi gwrando ar rai o ferched Sir Aberteifi ac yn y blaen, yn te . . .

O diolch yn fawr.

. . . well na genod y Gogledd, raid imi ddweud yn te.

Nawr, y llythrenne 'ma – R.S. Maen nhw 'di mynd i'n geirfa ni, achos dim ond un R.S. sydd yndefe, wedyn o'dd raid i fi fynd i'r Cydymaith *i chwilio beth o'dd yr R.S. 'ma, Ronald Stuart. Ai enwau teuluol oedd e, achos dyna beth oedd yr arferiad yntefe?*

Dw'n i'm. Mae'n debyg bod Mam yn hoff o'r enw Ronald yn te. Ronald Thomas oedd fy enw, ond wrth weld cynifer o R.Thomases, mi es i roi yr 'S' hefyd oherwydd roedd hi'n difaru nad oedd hi ddim wedi 'ngalw i'n Stuart. Roedd un o'i chefnderau, mae'n debyg, yn Stuart, ac felly mi fabwysiades i yr enw Stuart hefyd. Ond wrth gwrs fel yr es i yn fwy o Gymro do'n i ddim yn falch o'r un o'r enwau, oherwydd bod nhw'n enwau Seisnig, a mi fasa'n well taswn i wedi cael fy ngalw'n Rhodri neu Rheinallt neu rywbeth, ond wrth weld pobol yn dechre 'ngalw i yn R.S., wrth gwrs ro'n i'n gweld hynny'n well na cael Ronald ac yn y blaen yn te.

Achos mi oedd 'na bobl yn ystod eich cyfnod chi yn y coleg yn eich galw chi hyd yn oed yn Ron ond o'n nhw?

Yn y De, ia, fel ma' pobol y De, pan es i i Goleg Diwinyddol Llandaf, mi ddois i'n Ron Thomas.

Dyw e ddim yn swnio'n iawn rywffordd neu'i gilydd yn nag'di?

Wel oddwn i'n un o fechgyn y De yn te. Ron Thomas. A taswn i wedi ennill fy nghap i Gymru, faswn i wedi mynd yn Ron Thomas asgellwr, neu rywbeth!

Ai dyna ble o'ch chi'n chwarae gyda llaw, ar yr asgell?

Ar yr asgell, ia.

Yn chwimwth?

Ia, a dim *guts* yn te. O'ch chi'n magu traed oer ar yr asgell!

Nawr ry'ch chi wedi dweud, 'Dear Parents, I forgive you my life'. Ai cyfeirio r'ych chi at y ffaith 'u bod nhw wedi dod â chi i'r byd 'ma o gwbwl, neu ai cyfeiriad yw e at y math o fywyd y'ch chi wedi'i dreulio pan nad oedd eich mamiaith ddim yn rhan ohoni?

Oedd 'na elfen – a ma'n dal i fod, er 'mod i'n ceisio bod yn Gristion ac yn y blaen – mae 'na ryw elfen o 'nihiliaeth neu negydd-dod ynddo' i. Dach chi'n cael 'run peth yn A.E. Housman, y bardd Saesneg, pan mae o'n dweud bod pethe'n well efo fo pan oedd o ddim yn bod megis yn te. Ac mae llawer rhamantydd wedi cael 'i gyffwrdd dwi'n credu gan yr elfen hon, oherwydd weithie pan 'dach chi'n

84

isel 'dach chi'n gofyn i chi'ch hun oedd yr holl fusnes . . .
yn wahanol i Yeats er enghraifft, mi oedd Yeats yn dweud
yn un o'i gerddi *I am prepared to live it all again*. Wel faswn
i byth yn gallu ateb fel hyn. Mi fydda' i'n falch o gael
gwared ar y bywyd hwn, er 'mod i wedi cael digon o
hapusrwydd yn te.

Dyna pam falle bod rhywun fel Siôn Cent yn apelio atoch chi?

Ie, bosib. Oedd Siôn Cent wrth gwrs yn byw yn y Canol
Oesau pan oedd bywyd yn fyr; roedd angau yn ddigon
agos yn doedd ag mi ydach chi'n cael yr elfen hon yn'o fo
yn sicr.

*Fe gewn ni glywed Aled Lloyd Davies yn canu'r cywydd
hwnnw i Wagedd ac Oferedd Byd.*

* * *

*Awen gelwyddog oedd gan feirdd Cymru, medde Siôn Cent.
Beth am awen beirdd Cymru heddiw, y rheiny sy'n 'sgrifennu
yn yr hen iaith?*

Dwi'n genfigennus wrthyn nhw o hyd wrth gwrs, dwi
ddim yn trio bod yn feirniad ar y Gymraeg oherwydd o'n
i ddim yn ddigon cyfarwydd â hi pan o'n i'n ifanc. Ond
dwi'n gweld rhai ohonyn nhw, fel Gerallt Lloyd Owen ac
Alan Llwyd, maen nhw'n dal i gario 'mlaen hen faich a
chyfrifoldeb y beirdd, sef cadw ysbryd y Cymry ynghynn.
Does 'na ddim ond un swyddogaeth i fardd heddiw,
dwi'n credu, yn y Gymraeg, a hynny ydi chwythu ar y
fflam sydd wedi mynd mor isel. Dwi'n edmygu y ddau

hwnnw sydd yn dal i ganu fel mae . . . be mae Gerallt yn sôn am 'Wyt ti'n wylo Llywelyn', rhywbeth fel hyn.

'Wylit, wylit Lywelyn'.

Ia, 'Wylit, wylit Lywelyn' yn te. Dyma'r hen dinc yn de oedd yn y beirdd Cymraeg o gwymp Llywelyn ein Llyw Olaf, roedd rhai o'r hen feirdd yn dal i drio cadw y fflam ynghynn. Dyna faich y beirdd Cymraeg heddiw, a dwi ddim yn gweld fawr ddim yn y lleill sydd yn trio mynd ar ôl themâu eraill.

Achos mae 'na feirniadu ar y rhain y'ch chi'n sôn amdanyn nhw sy'n cadw'r traddodiad ymlaen ac ati, 'u bod nhw fel petaen nhw'n byw yn y gorffennol, ac yn pregethu'r digalondid, a bod angen codi'n calonnau ni yng Nghymru mewn gwirionedd yn hytrach na'n hatgoffa ni o'r oes aur a fu. P'un a oedd hi'n oes aur wrth gwrs sy'n gwestiwn arall yn te?

Ie, ie. Wrth gwrs 'dach chi'n ddigon ymwybodol o'r ffaith 'mod i'n hen ŵr . . . tydi Alan ddim yn hen ŵr, ond pan fydd Alan Llwyd yn mynd yn ôl i Gilan a gweld beth sy' wedi digwydd, mae'n symbol o'r hyn sy' wedi digwydd i ni'r Cymry. Gweld ein cenedl yn cael 'i meddiannu gan y Saeson. Gweld yr hen leoedd cysegredig yn llawn o garafanau ac yn y blaen ac yn y blaen. Mae'n codi hiraeth am y pethau fu.

Fyddwch chi'n dathlu dydd Gŵyl Dewi?

Na fyddaf.

Pam?

'Sgen i ddim byd, 'sgen i ddim lle i fynd. Yr unig beth fydda' i'n hoffi neud ydi mynd i ryw ran o Gymru sydd yn dal yn Gymru Gymraeg. Ond yr holl rialtwch a'r miri ac yn y blaen, 'sgen i ddim diddordeb yn rheini yn te.

Fel eich record ola yn y rhaglen gynta yma r'ych chi 'di dewis Y Credo *gan Gôr Uniongred o Rwsia. Pam y'ch chi 'di dewis hon?*

Dwi'n hoff iawn o wrando ar y Rwsiaid yn canu wrth gwrs, mae'n gas gen i gorau meibion. Corau fel Treorci a Rhos ac yn y blaen. Dwi'm yn credu bod nhw'n gallu canu yn y dull gorau. Mae 'na ryw gân yn does, *Kalinka*, pan 'dach chi'n clywad Côr y Fyddin Goch yn 'i chanu, wel mae'n rhywbeth sy'n werth 'i wrando arno fo, ond pan mae hogia Rhos yn mynd ati ma' nhw allan o'u dyfnder rywsut yn te. Tydi hyn ddim yn rhan o'n traddodiad ni.

Onid ydi canu yr Eglwys Uniongred fel hyn nawr yn eich atgoffa chi o'r gynghanedd gyfoethog sy'n bresennol yn y Gymanfa Ganu, neu mi oedd hi'n bresennol yng Nghymanfa Ganu yr Ymneilltuwyr? Dy'ch chi ddim yn meddwl bod hi'n atgoffa chi o gynulleidfaoedd . . .

Ar ei gorau, ar ei gorau, yn y gorffennol, ond be sy'n digwydd heddiw wrth gwrs, mae'r capeli fwy neu lai yn wag, a ma' nhw'n hel pobol at 'i gilydd er mwyn rhoi ryw sioe ar y teledu, a mae aelodau'r côr yn canu ac yn canu'n dda, ond does 'na ddim ysbryd, does 'na ddim enaid i'r canu. Ond pan fydda' i'n gwrando ar y Rwsiaid yn canu, dwi'n cael yr argraff bod 'na enaid, tydi enaid Rwsia ddim wedi darfod eto yn te.

* * *

Beti George:
Heddiw, yr ail bennod yn hanes y bardd R.S. Thomas. Fe awn yn 'i gwmni i Eglwysfach Ceredigion lle bu yn ficer – cyfnod anhapus iawn yng nghanol Saisgarwyr medde fe. Roedd e'n falch o gael ffoi oddi yno yn ôl i'r Gogledd i erwinder Llŷn lle'r oedd y bobl yn gynhesach. Wedi ymddeol symudodd e a'i wraig i fwthyn Plas-yn-Rhiw a'r hyn sy'n aros yng ngho'r ymwelwyr prin a alwodd heibio yno oedd y penglogau defaid oedd yn addurno'r lle. Mae e'n byw erbyn hyn yn ôl yn 'i gynefin ym Môn mewn tŷ uwchlaw atomfa'r Wylfa. Ac mae e wedi cael 'i enwebu am wobr Nobel, rhywbeth sydd ddim yn 'i gyffroi o gwbl. Ond yn gyntaf, oedd e'n hoff o bregethu?

R.S. Thomas:
Nag o'n. Ond weithiau roedd gen i rywbeth i'w ddweud, o'n i'n meddwl bod gen i rywbeth i'w ddweud, ac ro'n i'n edrych ymlaen at 'i draddodi. Ond yn rhyfedd iawn, profiad llawer pregethwr mae'n debyg ydi pan ydach chi'n meddwl bod chi wedi llwyddo 'dach chi wedi methu, ac adegau erill pan 'dach chi'n meddwl bod chi wedi methu, ma' rhywun yn dweud 'O mi fwynhaeis i honno'.

Chi'n cofio'r bregeth gynta roesoch chi . . . yn eglwys y Waun o'dd hi wrth gwrs yn te?

Roedd 'na gangen o'r Toc H yn y Waun, ac roedd rhai o'r

88

hogiau oedd yn perthyn i'r gangen honno yn reit groesawgar, oherwydd roedd yn draddodiad bod y ciwrad yn gaplan y gangen. Ac mi ddaeth un ohonyn nhw hefo mi i'm pregeth gynta, a dwi'n cofio gofyn 'Sut wnes i?' a dyma fo'n dweud, 'Wel, da iawn, ella bod ychydig gormod o *"Wales"'!*

Ond beth am wleidyddiaeth mewn pregethe? Faint o hwnnw oedd yn treiddio i fewn bob hyn a hyn?

Fues i erioed yn aelod o blaid wleidyddol, ac felly ro'n i'n gweld fy hunan yn hollol rydd i ddweud fy meddwl, felly doedd neb o'r gynulleidfa'n gallu 'nghyhuddo i o bregethu gwleidyddiaeth Plaid Cymru, gwleidyddiaeth y Blaid Lafur neu'r Toriaid na dim byd yn te. Ac wrth gwrs mae gwleidyddiaeth yn y bôn yn rhan o'n bywyd, a pan weles i angen, neu pan weles i ddyletswydd arna' i i ddŵad â gwleidyddiaeth i mewn, mi wnes i.

Wrth gwrs roedd rhaid ichi anelu – mae'n siŵr bod chi'n ymwybodol o hynny – at eich cynulleidfa chi ontefe, yn achos y Waun a Manafon, wel yn achos nhw i gyd, y bobol werin oedd gyda chi yn y gynulleidfa?

Ar ôl gadael eglwys y Waen yn sicr mi es i allan i gefn gwlad a bobol mae'n rhaid i chi fod yn meddwl eich hun. Ma' raid i chi gyfadda, fel 'dach chi'n dweud, pobol ddi-ddysg oedden nhw. Fydda' pobol Manafon byth yn darllen dim ond y *County Times* a phethe fel hyn, felly roeddech chi'n gorfod cadw'ch neges yn weddol dddealladwy. Dwi wedi dweud droeon dwi'n siŵr i hyn effeithio ar fy marddoniaeth i, mi ddysges i fod yn syml.

Mae rhai o'm beirniaid wedi dweud bod fy marddoniaeth yn y gorffennol wedi bod ella yn rhy syml yn te.

Ond onid ydi hynny yn beth da mewn barddoniaeth i ddenu pobol felly i'w darllen hi?

Rydw i'n tueddu i feddwl bod celfyddyd, gwir gelfyddyd, yn syml. Mae rhai o bethau mwya'r byd yn syml yn y bôn. Mae 'na ddyfnder, ac eto tydyn nhw ddim yn astrus, ddim ym gymhleth yn te.

Ych chi 'di galw'r 'peasant' *yna, chi 'di dweud amdanyn nhw,* 'How I have hated you'.

Ie, wel geiriau dyn ifanc wrth gwrs. O'n 'i ddim yn gyfarwydd â bywyd cefn gwlad pan es i i Manafon, a tipyn o sioc i fachgen diniwed megis oedd gweld gerwindeb bywyd y ffermwr. Pobol oedd yn taro dyn ifanc fel pobol anwar i raddau – 'u traed yn y biswail a'u meddyliau yn poetsio hefo pres a prisiau'r farchnad ac yn y blaen ac yn y blaen. Felly, tuedd dyn ifanc anaeddfed oedd i ddweud pethau fela.

Ond fe ddaethoch chi i werthfawrogi bod 'na fwy na hynny yn perthyn iddyn nhw?

Do, do, do, do.

Y'ch chi'n dweud yntefe, nad y'ch chi ddim yn gartrefol mewn cwmni academaidd ac ysgolheigaidd, neu o'ch chi ddim beth bynnag yn y coleg ym Mangor?

Do'n i ddim yn anhapus, ond wnes i ddim digon. Oedd mae'n debyg, roedd na gymdeithasau dadl, ac yng Ngholeg Llandaf roedd 'na gylch o fyfyrwyr oedd yn cyfarfod bob wythnos i drafod pethau o bwys. Ond o'n i'n cadw draw am ryw reswm, rhyw swildod neu anaeddfedrwydd neu rywbeth. Ond y rheswm, ar ôl dechrau datblygu yn fardd, y rheswm i mi gadw draw o gwmni y bobl lenyddol yn Llundain ac yn y blaen, oedd fod gen i gof sâl. Ro'n i'n ddarllenwr ond fydda' i byth yn gallu cofio pethau. Os ydach chi am ddal eich tir ymhlith cwmni llenyddol o'r fath, 'dach chi'n gorfod dyfynnu – 'wel ia, 'dach chi ormod fel mae hyn yn dweud, fel mae hwn yn dweud' – a mae 'na bobol sy'n . . . maen nhw'n disgleirio yn tydyn yn y fath gylchoedd. Ond ro'n i'n ymwybodol o'r ffaith 'mod i ddim yn gallu gwneud hyn ac felly mi gadwais i draw yn te.

Ond y bobl 'ma sy'n gallu dyfynnu ac ati, dyw hynny ddim mewn gwirionedd yn fesur o ysgolheictod ydi e?

Nacdi, nid bob amser. Mae'n amrywio. Mi ddysgais i hyn gan hen reithor Marchwiail pan o'n i'n giwrad, y Dr Thomas, ac roedd o'n dweud bod y ffaith bod gennych chi gof sâl yn ategiad i'r ffaith bod chi'n greadigol.

Ac eto mae raid i chi ddod o hyd i ffynhonnell i'ch syniadaeth chi ac ati. Felly mae rhaid bod 'na rywbeth yn y cof yn does?

Ie, yn yr isymwybod yn te, os oes 'na ffasiwn beth. Nid pawb sy'n derbyn y ffaith fod 'na isymwybod. Ond dyna oedd 'i farn o, bod 'na ryw *nucleus*, rhyw *matrix* ynoch chi, a pan oeddach chi'n darllen ac yn y blaen roedd pethau yn suddo, disgyn i'r *matrix* ac roeddach chi'n tynnu arnyn nhw yn nes ymlaen. Ond nid yn gallu gneud hynny'n fyr ac yn sydyn mewn cwmni yn te.

Pam o'ch chi mor anhapus yn Eglwysfach, achos atgofion sur sydd gyda chi o'r cyfnod hwnnw medde chi?

Wel o'n i wedi blino ar bobol Manafon ar ôl deuddeg mlynedd yn eu plith nhw, a pan symudes i i Eglwysfach, roedd 'na fath gwahanol o bobol – pobol oedd wedi cael addysg. Doeddech chi ddim yn gallu dweud bod pobol Manafon wedi cael addysg, ond mi symudes i i Eglwysfach i blith pobol, rhai ohonyn nhw, oedd wedi bod allan yn yr India, yn y Fyddin ac yn y blaen, ac roeddech chi'n disgwyl iddyn nhw fod yn fwy hyddysg, ond mi welais i fod 'na gliciau yno – un garfan yn sefyll yn erbyn y llall ac yn genfigennus wrthyn nhw ac yn y blaen, ac ro'n i'n gweld bai arnyn nhw. Roeddan nhw wedi cael gwell manteision na phobol Manafon, ac eto roedd yr un hen wendidau oedd ym mhobol Manafon yno, ac roedd 'na fwy o esgus i bobol Manafon dwi'n credu.

Onid eich gwaith chi felly fel offeiriad arnyn nhw oedd trio newid 'u dull nhw o fyw, neu newid 'u syniade nhw ar y ffordd i fyw, yn hytrach na'u condemnio nhw?

O trio pregethu'r efengyl fyddwn i bob amser. Wnes i erioed feddwl bod gen i hawl i roi fy safbwynt fy hun a'm syniadau fy hun gerbron y gynulleidfa. O'n i yno i bregethu'r efengyl, ac mi ddalies i at y Testament Newydd a thrio rhoi honno ger eu bron.

Oedd roedd eich awen chi wedi methu cael maeth yno hefyd medde chi yn de?

Rc'n i'n dal i feddwl am Manafon. O'n i'n dal i grwydro yn y bryniau ac yn dal i fynd ar yr un hen themâu, ond ar ôl rhyw ddeuddeg mlynedd eto yn Eglwysfach o'n i'n dechrau trio cael hyd i destunau a phynciau eraill ac yn dechrau mantoli y fath gymdeithas oedd yn bod yn Eglwysfach.

Y'ch chi'n credu bod yr awen yn dod oddi wrth Dduw gyda llaw? Yr oedd Siôn Cent.

O, do'n i ddim yn gwybod ble mae'r awen yn dŵad!

*Ac eto chi 'di dweud unwaith bod gyda chi ben sgrifennu yn eich llaw pan o'ch chi wrthi a'r awen yn dod, bod chi'n methu rheoli'r pen hwnnw, bod e yn **mynd** yn de? Chi 'di dweud yn rhywle.*

Fedrwch chi ddim coelio 'run gair mae bardd yn 'i ddweud 'dach chi'n gweld! Ma' pobol yn atgoffa fi o betha dwi wedi'u dweud yn y gorffennol, dwi'n synnu clywad y fath lol yn te. Ie. Yn sicr mae 'na ffasiwn beth ag ysbrydoliaeth, ond yn anffodus mae'n creu syniadau anghywir ym mhennau'r gwrandawyr. Maen nhw'n dweud, 'O felly, os 'dach chi'n sôn am ysbrydoliaeth, mae hyn yn golygu bod y gerdd yn dŵad yn hawdd, oes dim rhaid i chi wneud dim byd ond jyst disgwyl.' Wel wrth gwrs dydi hynny ddim yn wir chwaith. Mae'n rhaid i chi weithio'n galed ond dwi'n tueddu i gytuno efo Dylan Thomas – ei ddull o o weithio oedd i adael i un syniad, un frawddeg, un gair, fagu y geiriau eraill, y syniadau eraill. Roedd o'n symud o un frawddeg, o un cyfnod i'r llall, dwi'n credu fod 'na lot o wir yn hyn o beth a dyna sut y bydda' i yn gweithio. Dyna pam dwi mor ddibynnol ar y dudalen, faswn i ddim yn gallu cyfansoddi yn fy mhen dwi ddim yn credu, mae'n rhaid i mi weld y geiriau yn mynd i lawr ar y dudalen a buldio, adeiladu o un i'r llall.

Beth am eich record gynta chi heddi?

Saint-Saëns . . . dwi'n credu mai mewn ffilm gwelais i Ici Evets, ag roedd o'n dechrau ar y symudiad yma . . . dyma ichi gerddoriaeth ardderchog yn te.

* * *

Nawr o'ch chi yn falch iawn o ddod nôl i'r Gogledd i Aberdaron am fod pobl yn fwy cyfeillgar?

Roedd Eglwysfach yn dipyn o straen, dwi wedi sôn am y carfanau oedd yno, ag roedd o'n dipyn o straen arna' i yn trio dal y fantol rhyngddyn nhw. Oedden nhw'n genfigennus wrth 'i gilydd, ond pan es i Aberdaron wrth gwrs mi es i blith pobol, gwerinwyr oedden nhw, oedd wedi bod yn yr un ysgol ac yn galw'u hunan wrth yr enw cynta. Ac mi weles i ryw symlrwydd yno, oedd ddim yn rhoi straen arna' i o gwbl. Mi es i yn reit gartrefol yn 'u plith. Ond wrth gwrs plwy bach iawn oedd Aberdaron, ychydig iawn oedd yn dŵad i'r eglwys a dweud y gwir, ond na, mi deimlis i 'mod i wedi dŵad adra.

Ac yn gallu gweld y môr o Blas-yn-Rhiw ie?

Hollol.

Ac eto un o'r pethe, mae'n rhaid imi ddweud, sy'n fy rhyfeddu i yw nad o'ch chi ddim yn estyn croeso i bobl i alw 'da chi yn eich cartre?

Na, dyna'r argraff yn anffodus o'n i'n rhoi . . .

Yr argraff oedd e neu . . . ?

Mae pobol yn hoffi croeso yn tydan, 'O dowch i mewn, o dwi'n falch o'ch gweld chi' ac yn y blaen. O'n i ddim yn gallu gneud hynny yn te – ryw atalfa tu mewn imi, ac felly o'n i'n ymwybodol o'r ffaith mai ychydig iawn o bobol fasa'n dŵad i'r Ficerdy yn te, oherwydd roedden nhw'n synhwyro diffyg croeso. Ond eto, ro'n i'n trio'u helpu nhw ac yn y blaen – yn barod i'w helpu nhw, ond dim yn gallu rhoi y wên yn te.

Ma' 'na bobol hefyd oedd yn ymweld â chi yn y bwthyn wedi i chi symud allan o'r Ficerdy, a maen nhw'n gneud môr a mynydd o'r ffaith mai'r peth cynta maen nhw'n weld wrth ddod i mewn drwy'r drws oedd y penglog dafad yma. A ma' 'na nifer o bobol wedi 'sgrifennu am y penglogau 'ma. Oedd 'na ryw arwyddocâd i'r rhain o gwbl o gwmpas y lle?

Wel na, roedd y wraig yn arlunydd wrth gwrs, ac roedd hi yn hoff iawn o gasglu petha fel'na. Oedd hi'n waeth byth yn Manafon, mi ga'th hi fenthyg penglog dyn gan ryw ddeintydd yn Manafon, a mi ga'th Euros Bowen ffit bron wrth weld y penglog. Roedd o'n rhan o'r dodrefn medda fo. Mi wnaeth Euros gerdd am y penglog yma, ond nid ni oedd pia fo wrth gwrs, oedd hi'n gorfod 'i roid yn ôl i'r deintydd yn y Trallwng. Ond ta waeth.

Nawr bardd ac artist yn byw gyda'i gilydd. O'dd hi'n gallu bod yn anodd?

Na dim o gwbwl. Oedden ni'n cadw ar wahân, oedd ganddi hi 'i gwaith hi i'w neud a ddim yn ymyrryd arna' i, a roedd gen i 'y ngwaith fy hun i'w neud. O'n i yn fy stydi yn y bore a hithau yn 'i stafell hi. Na, doedd 'na ddim tyndra o gwbwl.

Wrth gwrs fe gafodd eich gwraig, Elsie Eldridge, gystudd hir. Oedd e'n dod yn hawdd i chi i ofalu ar 'i hôl hi yn ystod y cyfnod hwnnw?

Roedd hi'n reit annibynnol, ac roedd hi'n gallu edrych ar ôl 'i hunan i raddau, trwy drugaredd doedd hi ddim yn gofyn llawer gen i, doedd hi ddim mewn poenau ac ro'n i'n gallu mynd allan 'run fath, mynd allan i grwydro ac yn y blaen . . .

Ma'ch cerddi chi, wel y gerdd A Marriage *sy' 'di cael 'i dyfynnu gan lawer o bobol fel un o'u hoff gerddi nhw, yn llawn anwyldeb i rywun sy'n honni nad yw e, wel '. . .* love is not mine to give' *medde chi ar un adeg. Yr un math o beth, yr ataliad yma, y methu dangos eich teimlade?*

Dwi'n credu bod celfyddyd yn cael ei eni o dyndra yn te. Mi ddeudodd Saunders hyn wrtha' i un tro pan o'n i'n cwyno am rywbeth hollol wahanol, ond mi ddeudodd, wel y tyndra 'ma sydd yn creu celfyddyd, ac os oes 'na ryw dyndra y tu mewn i chi mae hyn yn gallu ar esgor ar gelfyddyd dwi'n credu.

Oedd eich gwraig yn deall eich ymlyniad chi at yr iaith?

Dwi'n credu bod hi. Mae cariad yn fwy na dim byd arall fel'na chi'n gwbod, ac o'n i'n trio, o'n i'n gweld bod hi'n galad arni hi i wrando arna' i yn lladd ar y Saeson, gan bod hithau yn Saesnes. Ond dwi'm yn credu bod hi'n ystyried 'i hun yn Saesnes, roedd hi'n arlunydd yn anad dim ac mi fyddwn i'n dweud wrthi wrth gwrs, 'Wyt ti'n dallt yn iawn, dwi ddim yn lladd arna' ti oherwydd bod ti'n Saesnes' ond bob amser o'n i'n trio rhoi teyrnged i rinweddau'r Saeson hefyd.

Achos un o'r pethau wrth gwrs ydi bod nhw, ma'n ymddangos felly beth bynnag, yn gwerthfawrogi yr amgylchedd yn dipyn mwy na ni'r Cymry. Maen nhw'n gwerthfawrogi bywyd gwyllt. Ma' hynny'n wir ond ydi?

Yndi, yndi. Ma'n codi cywilydd arnon ni, ac wrth gwrs fel cenedl maen nhw'n llawer mwy teyrngar i'w cenedl eu hunan nag ydyn ni'r Cymry, er cywilydd i ni. Ma'r Saeson yn dewis siarad Saesneg, ac yn gweld bai ar bawb sydd yn methu siarad Saesneg. Fasa'n llawer gwell tasan ni'n 'u dynwared nhw i raddau.

Achos, wrth gwrs, o'ch chi ym Mhen Llŷn, mi roedd y mewnfudo wedi dod bron yn bla fel oedd rhai pobl yn 'i ddisgrifio fe. Oedd e bownd o fod yn peri digalondid i chi.

O'n i'n rhoi y bai ar y llywodraeth. Oedd llywodraeth Lloegr yn gwrthod yr hawl i Gymru reoli. Fedrwch chi ddim gwrthod derbyn unrhyw fewnfudwr, ond mae'n rhaid bod unrhyw genedl sydd am barhau yn genedl â'r hawl i reoli a llywodraethu y mewnfudiad. A mae Lloegr yn neud hyn 'u hunan, ond maen nhw'n gwrthod yr hawl i ni'r Cymry. Tasan ni wedi gallu rheoli y mewnfudiad, fasa fo wedi gneud byd o wahaniaeth.

Beth am gynlluniau'r Blaid Lafur i roi Cynulliad i ni? Ydi hwnnw'n mynd yn ddigon pell?

Nacdi. Tydyn ni ddim yn . . . sgynan ni ddim ymddiriedaeth yn y Blaid Lafur. Lloegr sy'n dŵad gyntaf bob amser, hefo pob plaid yn Lloegr.

Ond oes 'na rywfaint o amheuaeth hefyd petaen ni'n cael hunanreolaeth ac annibyniaeth, allen ni fod mewn gwirionedd yn waeth ein byd?

Dwi'n cymharu Cymru efo *Dáil* Iwerddon, er bod nhw yn gneud camgymeriadau ag yn gneud pethau amheus iawn, a bod 'na lygredd yn 'u plith yr un fath, eto maen nhw'n dal yn tydyn. Mae gennyn nhw'r hawl i ddweud beth sydd i fod yn 'Werddon, a fasa Cynulliad yn gallu gneud rhywbeth tebyg yng Nghymru.

I ddod yn ôl at y mewnfudo, o'ch chi'n dweud am y capeli, yn wag a phethe, falle nad dyna fel oedd hi Mhen Llŷn. Nawr pan o'ch chi'n dweud y dyle'r capeli i gyd gau yn Aberdaron achos mi roedd 'na ddigon o le iddyn nhw i gyd yn yr eglwys, ai cellwair o'ch chi, neu o'ch chi o ddifri yn meddwl hynny?

O'n i o ddifrif, ond mi fyddwn i'n dweud bob amser 'mod i'n gweld pwynt capelwyr. Oedd hyn yn golygu aberth, o'n i'n pitïo drostyn nhw. Ond wrth reswm, os 'dach chi'n ceisio datrys problem, doedd o ddim yn gneud synnwyr o gwbwl pan oedd gynnoch chi hen adeilad nobl fel eglwys Aberdaron, a doedd 'na ddim byd yn perthyn i'r capeli o ran pensaernïaeth na dim byd felly, y peth gora fasa cau y capeli a jest dŵad i eglwys y plwyf, ond mi fyddwn i'n dweud bob amser, mae'n ddigon hawdd i ni eglwyswyr ddweud hyn, ond bod ni'n pitïo dros y capelwyr yn te.

Achos ry'ch chi hefyd wedi bod yn llawdrwm ar 'u ffordd nhw o weddïo, eu hagwedd medde chi, eofn, fel petaen nhw'n meddwl bod Duw yn clustfeinio y tu allan i'r drws. Y'ch chi'n gweddïo yn bersonol?

Yndw, yndw.

Ac yn breifat felly?

Yndw.

Sawl gwaith y dydd?

Dwy waith.

Yn y bore?

Yn y bore a cyn mynd i'r gwely.

Eich record nesa chi. Ych chi 'di dewis Der Leiermann. Nawr te dwedwch 'thon ni pam.

Dwi'n hoffi'r cyfeiliant yn fwy na dim. Mae Schubert mor dda ar y piano, dwi'n credu. Wrth wrando ar y gân, ar y geiriau, dwi'n clywed y cyfeiliant hyfryd bob amser.

* * *

Marlene Dietricht yn canu am Der Leiermann gan Schubert, dyn yr hyrdigyrdi. A ma' geirie y gân yn ddigon i godi gwallt ar ben yn dyw e, 'troi a throi' mae'n dweud, 'ei blât begera'n wag, does neb am 'i glywed e, ma'r cŵn yn chwyrnu wrth 'i sodle'. Ai dyna fel y'ch chi'n teimlo nad yw'r Cymry yn malio dim am yr hyn y'ch chi'n trio ddweud wrthyn nhw am Gymru a'u hiaith?

Yr un hen syniad Beiblaidd, yr un gweddill yn te, mae 'na weddill trwy drugaredd, mae 'na weddill. A chwarae teg i'r to ifanc sy'n codi ymhlith y Cymry, mae 'na weddill yn does. Bendigedig, cadwedig.

Achos ry'ch 'di gweud hefyd nad y'ch chi ddim yn gneud llawer â Chymdeithas yr Iaith Gymraeg y dyddie yma. 'It's no good flogging a dead horse' medde chi yn rhywle. Wel dyna fel y'ch chi 'di cael eich dyfynnu cofiwch. Ma'r dyfyniade 'ma yn gallu mynd yn anghywir weithie.

Mm.

Y'ch chi'n meddwl bod 'na ddyfodol i'r iaith?

Yndw, yndw. Pa ddyfodol dwi ddim yn gallu dweud, oherwydd mae iaith 'i hun mewn peryg yn tydi, ac mae hwn yn gwestiwn mawr wrth gwrs. Hyd yn oed yn Lloegr mae 'na bobol sydd yn poeni ynghylch dyfodol yr iaith oherwydd datblygiad technoleg a chyfrifiadur a pob math o betha.

Nawr ma' 'da chi fab o'r enw Gwydion, a mae'n enw hyfryd, ond yn enw rhyfedd iawn i rywun sy'n . . . ydi e'n siarad Cymraeg?

Nacdi. Dio ddim wedi cael cyfle. Mae o'n medru ychydig o frawddegau, dallt ychydig o bethau. Nacdi.

A beth am i . . . oes 'dag e blant yn does?

Un, ia. Un ŵyr.

Dyw e ddim yn siarad Cymraeg?

O nagdi, nagdi. Mae'n byw yn Llundain.

Beth am eich perthynas chi gyda nhw? Ydi e'n berthynas tad a thaid cariadus felly?

Fedra i ddim dweud sut maen nhw'n teimlo, ond dwi ddim yn gweld llawer o'r ŵyr yn te. Mae Gwydion wedi ymddeol rŵan, a mae wedi cymeryd drosodd denantiaeth Sarn Rhiw ac felly mae'n symud rhwng Cymru a Thailand. Mae'n gwario rhan o'i amser yn Thailand a rhan o'i amser yn y Rhiw. Dwi wedi gofyn iddo fo os ydi o am ymddeol yn derfynol i'r Rhiw i drio dysgu Cymraeg, gan fod o'n byw yn 'u plith nhw.

Ac falle neith, mae'n siŵr.

O gobeithio.

O leiaf, petaech chi'n ennill gwobr Nobel 'leni, bydde Cymru fach yn cael rhywfaint o sylw yn bydde?

Bydde, ond 'sgen i fawr o ffydd yn y peth o gwbl wrth gwrs. Dwi ddim yn credu mewn cystadlu mewn celfyddyd i ddechre, sut medrwch chi ddweud bod un bardd yn well na'r llall, neu bod un gerdd yn well na'r llall? A hefyd dwi wedi dweud lawer gwaith, mae dylanwadau eraill, syniadau eraill yn cael 'u dweud wrth wobrwyo rhywun efo'r wobr Nobel. Pethau gwleidyddol, rhywun fel Mandela er enghraifft. Tasa fo yn fardd neu'n awdur mi fasan nhw'n 'i ystyried o oherwydd bod o wedi diodde dros 'i achos.

Y'ch chi 'di creu rhywfaint o gyffro hefyd drwy awgrymu petaech chi'n cael y wobr y byddech chi'n gneud eich anerchiad i dderbyn y wobr yn Gymraeg?

O ie yn hollol.

Ond ma' hyn wedi creu rhyw fath o gyffro. Pam ddyle fe yn te?

Ia, hollol.

Yn bersonol nawr, ry'ch chi'n byw yn ymyl Caergybi, chi'n byw fel dwi'n deall uwchben Wylfa?

Dyna eironi'r peth.

Ie. Fel aelod, neu gyn-aelod o CND.

Wedi ymgyrchu yn erbyn y peth a dyma fi yn te . . . ond dyma oedd yr unig dŷ ar gael yn te. Dwi'n gweld y môr, felly dwi'n trio edrych heibio i'r Atomfa er mwyn gweld y môr.

A ma' dach chi gwmni?

Oes.

Ma' hynny'n bwysig i chi?

Yndi, yndi. Dwi'n reit hunanddibynnol. Dwi'n gallu byw fy hun os bydd rhaid ond . . .

Hynny yw, fyddech chi'n gallu gofalu ar ôl eich hun, fyddech chi'n gallu coginio . . .

Wel mi wnes i am dair blynedd ar ôl colli'r wraig.

Ag o'dd hynny'n dod yn hawdd i chi, gwneud eich coginio a neud yn siŵr bo' chi'n bwyta'n dda?

Sgen i ddim diddordeb mewn bwyd wrth gwrs ond . . .

Mae'n rhaid i chi fwyta yn does i fyw?

Ie, byta i fyw, nid byw i fyta yn te.

Ydi'ch . . . Betty dwi'n deall ydi henw'i yn de ac mae'n dod o Ganada o dras Gwyddelig . . . ydi hi'n deall yr ymlyniad at yr iaith?

Dwi'n credu bod hi'n dallt yn te, ond 'sgeni hi fawr o ddiddordeb yn y peth oherwydd er bod hi'n Wyddeles, mae hi'n siarad Saesneg yn te. Mae'n hanu o Canada, a 'sgeni hi fawr o ddiddordeb mewn iaith arall.

Felly mewn gwirionedd, 'dech chi rioed wedi cael neb, rhyw enaid hoff cytûn, mewn gwirionedd, i rannu'ch bywyd yn Gymraeg?

Na, na.

Chi'n hiraethu na fysech chi?

Wel mae'n anodd deud, oherwydd ma'r un peth yn codi efo cyfansoddi hefyd. Mae'n ddigon hawdd i mi ddweud taswn i wedi bod yn Gymro gwreiddiol faswn i wedi gallu sgwennu cerddi Cymraeg ac yn y blaen. Ond oherwydd cymlethdod bywyd heddiw a mawredd yr iaith Saesneg, mae hi'n iaith mor hyblyg, mae'n rhaid ichi holi'ch hun weithiau, allswn i fod wedi sgwennu y fath gerddi ag dwi wedi sgwennu yn Gymraeg?

A ma' rhai ohonon ni'n dweud yntefe, trueni'n bod ni 'di cael ein geni yng Nghymru a gorfod brwydro dros ein hiaith ni. Fuasai'n dipyn haws arnon ni petaen ni 'di cael ein geni yn Lloegr.

Hollol. Ond, ac eto fel dwi wedi dyfynnu Saunders eisoes, roedd o'n mynnu bod tyndra yn ymwneud llawer â chelfyddyd. Ac mae'n brofiad diddorol yn tydi, byw yng Nghymru heddiw. Dan ni'n teimlo y tyndra ac ella bod ni mewn gwell sefyllfa na Saeson.

Ond yn bwysicach na dim, hyd yn oed na'r iaith, eich perthynas chi â Duw sy'n bwysig ie?

Mm. Ac eto dwi'n gwerthfawrogi'r ffaith yn y Gymraeg . . . mi fydda' i yn gweddïo yn Saesneg wrth gwrs, yn anffodus, dwi'n nabod y Beibl Saesneg, dwi'n gallu dyfynnu o'r cof yn te . . . ond eto dwi'n gwerthfawrogi'r ffaith bod ni yng Nghymru yn gallu titoiê, 'dan ni'n dweud 'ti' i Dduw, a 'tydi', sydd yn gneud i ffwrdd â'r holl broblemau sydd gan y Saeson, fatha *'you'*. Os 'dach chi'n dweud *'you'* wrth Dduw tydi ddim yn swnio'n iawn rywsut, ac felly dwi'n gwerthfawrogi hyn.

Fase'n well 'da chi petaech chi wedi cael eich geni yn y gorffennol?

Mae'n gwestiwn anodd wrth gwrs. Heddychwr ydw i. Wn i ddim faswn i wedi bod yn heddychwr yn amser Glyndŵr. Hyd yn oed Siôn Cent, oedd o yn cwffio yn doedd . . .

. . . yn erbyn y byd a'i wagedd a'i oferedd.

Na, os dwi'n dallt yn iawn roedd o'n filwr yn doedd i ddechrau. Mae'n anodd dweud, fasa'n braf taswn i wedi bod yn fyfyriwr yn Rhydychen a chlywed yr alwad i'w heglu hi yn ôl i Gymru i gymeryd rhan yn y gwrthryfel.

A beth am yr awen, ydi hi'n dal i ddod?

Mae'n dibynnu ar amser a dwi ddim yn cael gymaint o amser ag y byddwn yn ei gael ers talwm, a'r ffaith 'mod i

wedi mynd yn hen yn golygu 'mod i'n mynd i gysgu ar ôl
ychydig o funudau. Mi â i i'r stydi yn y bore a cyn pen dim
dwi wedi hepian.

*Y'ch chi'n credu'ch bod chi 'di cyflawni yr hyn roeddech chi i fod
i neud ar y ddaear yma?*

Nagdw. Na mae 'na ryw smygrwydd yn does yn perthyn
i hyn o beth, ond os 'dach chi'n mynd yn rhy hunanfodlon
wrth gwrs wnewch chi ddim byd na newch. Mae fel
pysgota – mae pob pysgotwr yn mynd ar ôl brithyll mwy
bob amser, 'dach chi'n mynd ar ôl rhyw gerdd well bob
amser a byth yn cyrraedd.

*Y'ch chi wedi cwestiynu bodolaeth Duw ar brydiau ond y'ch chi
. . . beth yw'ch teimlad chi ar hyn o bryd? Ydi e'n bodoli?*

Yndi. Fydda' i byth yn gwadu bodolaeth Duw. Y broblem
ydi, nid cael gwybod ydi o'n bod, ond sut un ydi o. Dyna'r
broblem.

Ddowch chi i wybod hynny rywbryd?

Na ddof.

*Ry'ch chi 'di'ch galw'ch hunan yn Neb, ond mewn gwirionedd
onid yw hynny'n sarhad ar Dduw, sy' wedi'ch creu chi yn
rhywun?*

Wel, o flaen Duw yn te, dwi'n neb, neb ydw i o flaen Duw.

Ych chi'n credu mewn Dydd y Farn?

Nacdw.

Chi 'di dewis Dydd y Farn i orffen.

Ia. Celfyddyd ydi hwn eto yn te. Mae'n codi'r gwallt yn tydi a'r gwar.

Dydd y Farn, *neu'r* Dies Irae *gan Verdi i orffen felly. R.S. Thomas, diolch ichi am ych sgwrs. Mae wedi bod yn fraint ac yn bleser i gael eich cwmni chi. Diolch yn fawr.*

Diolch yn fawr i chi hefyd.

Y baton a'r sgwâr:
'mater o ddehongli yw'r ddau'

Wynford Jones

Dyfarnwr bocsio, Cerddor

Darlledwyd: 10 Ionawr, 2002

Cerddoriaeth:
1. *Rwy'n gweld o bell y dydd yn dod:*
Cynulleidfa Capel Awst Caerfyrddin
2. *Going Home* o'r ffilm *Local Hero*
3. *The Trumpet Shall Sound:* Syr Geraint Evans
4. *My Way:* Côr Meibion Dowlais

Beti George:

Mae e'n gyfuniad rhyfedd on'd yw e – athro, cerddor, arweinydd corau – a dyfarnwr bocsio. Achos dwi'n meddwl am gerddor fel person sensitif a dwi'n meddwl am bobl sy'n ymwneud â bocsio fel pobl galed.

Wynford Jones:

Mae un peth yn tynnu nhw at 'i gilydd mewn ffordd, a rwy'n siarad 'ma am yr elfen dehongli. Mae cerddoriaeth yn un math o ddehongli. Gyda'r bocsio mae rhaid dehongli'r rheole. Ond mae'r byd chwaraeon wastad wedi bod yn bwysig yn fy mywyd i a hefyd y byd cerddorol. Pan o'n i'n blentyn yn tyfu lan yn Cefn Coed [y Cymer] ro'dd Dad yn canu yn y côr 'ma, Côr Meibion Cefn Coed. Blynydde'n gynharach fydde fe 'di canu mewn côr meibion yn Glyn Nedd. A hefyd o'dd e'n canu gyda cymdeithas operatig yr eglwys, felly o'dd cerddorieth yn elfen bwysig o'n bywyd ni gartref. A hefyd o'n i'n hoff iawn o fynd gyda Dad i weld gemau pêl-droed lawr yn Abertawe a gweld gemau rygbi rhyngwladol yng Nghaerdydd, a dilyn tîm criced Morgannwg. Ac wrth gwrs, yn tyfu lan yn yr ardal yna, yn gweld Howard Winstone yn paratoi ar gyfer ei ffeits mawr, a Ken Buchanon, Eddie Avoth a'r cewri 'ma i gyd. O'dd e'n gyfnod euraidd Beti.

Ac Eddie Thomas yn perthyn i chi wrth gwrs.

Yn perthyn, cefnder Mam. Cawr o ddyn, wedi neud popeth fel bocsiwr, ennill pencampwriaeth Prydain, pencampwriaeth y Gymanwlad, o'dd e'n bencampwr Ewrop hefyd, ond yn llwyddiannus iawn fel rheolwr, ac

yn un o hyfforddwyr gorau 'i gyfnod yn fy marn i. Ma'
nhw'n siarad am *sixty second doctors*. Ma' nhw'n cael
munud rhwng y rowndiau yn 'dyn nhw i drin y
problemau i gyd. Does dim dwywaith amdani, o'dd
Eddie ymhlith y goreuon . . .

. . . yn gallu stopio'r gwaedu a phethach fel'na.

'Na ni. Ie.

Beth o'dd e'n neud 'te i stopio'r gwaedu?

Dibynnu gyda pwy oedd e'n siarad. Wy'n cofio fe'n sôn
unwaith am rhywun yn gofyn, *'What do you use Mr
Thomas?'*, a wedodd e *'Duff from Merthyr Vale Colliery'*.
Chi'n gwbod, glo mân! Yr unig beth ma'n nhw'n gallu'i
ddefnyddio wrth gwrs yw adrenalin a wedyn vaseline.

*Nawr ry'ch chi hefyd yn athro, yn bennaeth ar Adran Gerdd
Ysgol Ferndale ondefe. Faint o fechgyn Ysgol Ferndale fydde'n
breuddwydio i fynd i focsio y dyddie yma.*

Ma' rhai o'n nhw'n bocsio.

Ydyn nhw wir?

Ydyn. Ma'n debyg bod clybiau amatur yn yr ardal yn
eitha cryf a ma' rhai ohonyn nhw wedi dechra paratoi ar
gyfer bocsio. Ond ma'n rhyfedd, ma' nhw'n sôn yn
Susnag am *street cred*, wel pan ma' nhw'n gweld fi ar y
teledu ma'n *street cred* i'n mynd lan yn aruthrol! Y dyn 'ma
sy'n dysgu cerddoriaeth yn ystod y dydd, ar y teledu yn y

nos ac yng nghanol y sgwâr.

Ie, ma' rhai ohonyn nhw siŵr o fod yn cysylltu cerddoriaeth â bod 'mbach yn sissy siŵr o fod?

Wel, ydyn, ma'n dal i fod yn wir. A pan o'n i yn yr ysgol o'n i'n cael amsar calad. O'n i'n dysgu'r piano yn un peth, a'r peth nesa, o'n i ar y cae rygbi ac ar y cae criced. Ta pryd o'n i'n cael y cyfle o'n i wastad yn neud fy ngore glas, o'n i'n cerddad 'na â 'mhen yn uchel gyda nhw i gyd.

Wrth gwrs, peth arall am y Rhondda 'di'r traddodiad bocsio 'ma. Ma'r peth yn anhygoel on 'd yw e? Ai Tommy Farr oedd y mwyaf fasech chi'n dweud?

Tommy Farr, ie. Ond hefyd Percy Jones o Porth, pencampwr y byd cyn i Jimmy Wilde ennill pencampwriaeth y byd. Wedyn wrth gwrs yn ardal Pontypridd o'dd Freddie Welsh, a Tom Thomas o Penygraig. Ond, ie, ro'dd Tommy Farr wedi cyrraedd fel statws chwedlonol yn dilyn yr ornest gyda Joe Lewis. Cwrddes i Tommy Farr sawl gwaith, ar ôl dechrau dyfarnu. O'n i'n dyfarnu un noson draw yng Nglyn Ebwy, a'r protocol yw, ma'n nhw'n cyflwyno sêr y byd bocsio cyn y prif ornest. O'n i yn y sgwâr yn barod i ddyfarnu a dyma nhw'n cyflwyno Tommy Farr, a ma' Tommy Farr yn dod miwn i'r sgwâr a'n ysgwyd llaw 'da fi. O'n i'n teimlo, wel o'dd e'n anhygoel – y dyn 'ma oedd wedi aros miwn am bymtheg rownd gyda Joe Lewis, yn ysgwyd llaw 'da'r dyfarnwr bach 'ma o Ferthyr.

A wedyn Howard Winstone wrth gwrs.

O'n i'n hoff iawn o Howard. Un o'n arwyr i. Person cyffredin, person caredig iawn. O'dd e'n hoff iawn o Ferthyr, ond o'dd pobol Merthyr yn hoff iawn o Howard hefyd. Wy' ddim yn credu bod e'n deall yr argraff o'dd o wedi creu. Wi'n cofio siarad 'dag e yn dod allan o sesiwn ymarfer cyn iddo fe gwrdd â Vicente Saldivar am y tro cynta yn chwe deg pump. A'r broblem mwyaf yn 'i feddwl e odd, ddim colli'r ffeit yn erbyn Saldivar ond o'dd e ddim isie gadel y cefnogwyr i lawr. O'dd e'n gwbod bod nhw'n teithio yn 'u miloedd o ardal Merthyr lan i'r ffeit, o'dd y clybie'n rhedeg trips ar y bysus, o'dd pob trên allan o'r orsaf yn orlawn y diwrnod 'ny.

Enillodd e?

O do yn y diwedd. Colli yn erbyn Saldivar, ond yn cipio'r goron yn erbyn Seki o Siapan yn y diwedd, yn Neuadd Albert. Wi'n hoff iawn o Neuadd Albert. 'Wi 'di gweld Howard yn ennill y teitl 'na, o'dd Eddie wedi bocsio yna, wi wedi bod yna i glywed Syr Adrian Boult yn arwain 'Breuddwyd Gerontius' gan Elgar, a wi wedi arwain Côr Meibion Dowlais yna dair gwaith. A chi'mbod beth, ceso i bleser mwyaf yr ail dro imi arwain 'na – o'dd fy nhad yn canu yn y côr. O'dd e newydd ymuno â Côr Dowlais, a o'dd Dad wastad wedi canu gyda'r corau bach, a wedi colli mas ar y *big time*. Ond dechreuodd e 'da ni, mewn amser bach o'dd e'n cymryd 'i le ar y llwyfan yn Neuadd Albert. O'dd hi'n ffantastig.

'Rwy'n gweld o bell y dydd yn dod', dyna'ch record gyntaf chi Wynford?

Wi'n hoff iawn o'r emyn 'ma. Wi'n cofio blynydda nôl clywed Dai Francis, cyn-arweinydd glowyr Cymru, yn siarad am yr emyn 'ma, a wedyn yn clywed y Gymanfa Ganu gyda Ryan Davies yn arwain. Wi'n cydymdeimlo â'r ffordd mae'n cyflwyno'r emyn. Ma'n gweud, 'Os na ganwch chi unrhyw beth arall heno, canwch hon'. Fel arweinydd wi'n deall y teimlad yna Beti.

* * *

Cael eich magu ar aelwyd Gymraeg yng Nghefncoedycymer ger Merthyr. Wrth gwrs mi roedd Cefncoed yn Gymreiciach na Merthyr yn doedd.

Odd, ond o'n i'n anffodus i raddau. O'dd i'n amhosib siarad Cymrâg gyda plant yn yr ysgol. O'n i'n tueddu i ddefnyddio Cymrâg gyda'r hen bobol yn y pentre a gyda perthnasau. A'r gwahaniaeth yw, mae 'mhlant i wedi cael y cyfle i fynd i Ysgol Rhydfelen a wedi cael 'u haddysg trw' gyfrwng y Gymrâg.

Wrth gwrs, ma' arlliw, tipyn bach o arlliw iaith Merthyr 'da chi 'fyd ond dos e?

Siŵr o fod. Wi'n credu ma'r acen siŵr o fod wedi aros yr un peth. Ma' Nghymrâg i wedi gwella rhywfaint falle, oherwydd Saesnes yw Julie 'ngwraig, a pan dda'th y plant penderfynodd hi i dysgu'r iaith.

Felly, chi'n siarad Cymraeg 'da'ch gilydd nawr?

Nid cymaint gyda'n gilydd, ond gyda'r plant. Mae'n anodd iawn, pan gwrddon ni o'n ni'n siarad Saesneg mae'n amlwg gyda'n gilydd. Na, ry'n ni'n defnyddio'r Cymrâg lot fawr yn y tŷ, a ma'n eironig bod Julie fel Saesnes yn gyfrifol am bolisi iaith Awdurdod Lleol Rhondda Cynon Taf.

Mae'n beth da iawn. Mae hi wedi mynd trw'r peth 'i hunan.

Ydi.

O'ch chi'n agos iawn at eich tad, ry'n ni 'di'ch clywed chi'n sôn amdano'n canu ac yn mynd â chi i geme criced, a bocsio a pethe fel hyn.

O'n yn wir, ond Mam hefyd. Dau o'm ffans mwyaf weden i. O'n ni'n ffodus iawn fel teulu, yn agos iawn.

A glöwr o'dd e?

Wedi gwithio dan ddaear am flynydde ar flynydde, a wedi rhoi'r gorau 'ddi oherwydd lluwch yn y diwedd, a wedyn perswadion nhw fe i gymryd swydd fel swyddog diogelwch, wedyn i ymweld ag i siarad â pobol o'dd isie dod â achosion yn erbyn y Bwrdd Glo. O'dd e'n itha da yn neud petha fel'na. O'dd e'n diall y gêm. Ond tase fe wedi cael swydd fel'na blynydde yn gynhararch, fase ddim wedi diodde cymint a nath e.

Nath e ddiodde . . .

Ond i'r diwedd carion ni 'mlân, mynd i'r ffeits. O'dd sylinder ocsygen 'da fe, a o'n i'n dal y sylinder a cerdded rhyw llathen ne' ddau tu ôl iddo fe. Ond o'dd e isie bod 'na, a cadwon nhw hwnna lan 'sbod y diwedd Beti.

Gath e arian o gwbl?

Bach iawn ar y pryd. Ma' achos llys mewn bod ar y foment, ond ma' petha'n cymryd mor hir i setlo. Wi'n deall fel 'ma cymaint o hen bobol yn teimlo'n hollol ddiobaith. Mae'r gwleidyddion yn dweud y pethe pwysig pan ma'r etholiad yn agosáu, ond wi'n teimlo fe ddylen nhw fod yn cyflymu'r proses 'ma, achos ma' cymaint o hen lowyr wedi marw cyn cael ceiniog.

Tenor oedd e . . .

Tenor.

Ma'n anodd credu on 'd yw e, bod rhywun a'i ysgyfaint e yn y fath . . .

Ro'dd y meddyg yn dweud bod e'n beth da bod e wedi canu trw'i fywyd, o'dd e'n help mawr. A pan o'n i gyda Côr Meibion Dowlais, o'dd nifer o lowyr a bobol o'dd wedi gwithio yn y gwaith dur yn Nowlais yn y côr. Ma' nifer fawr o'r bobol 'ma wedi gwithio ar hyd y blynyddodd. Tasan nhw wedi cael y cyfleon, pwy a ŵyr beth fase wedi digwydd.

*Wel, fe benderfynoch chi ar ôl mynd i Ysgol Gynradd Cefn Coed
ac Ysgol Uwchradd y Faenol a Phenderyn, fynd i Leeds i'r
brifysgol.*

I Leeds, ie. Ar un tro o'n i'n bwriadu mynd i Brifysgol
Caerdydd, ond es i lan i Leeds i ymweld â'r adran a cwrdd
â'r Professor James Denny, a penderfynes i yn y diwedd i
fynd 'na, ac o'dd e'n gyfnod hapus dros ben chi'mbod.

Ac fe arhosoch chi yn yr ardal ar ôl gadel y coleg.

Do ges i'n swydd cyntaf yn Wakefield. Nawr, ma'r
traddodiad yn yr ardal 'na am y bandiau prês hefyd, ond
ces i gyfleon ar yr ochr corawl gyda'r trefnydd cerdd yn
Wakefield.

Ond dod nôl yn y diwedd.

Ma'n rhyfedd fel ma' pethe'n digwydd. Wi'n cofio ar y
pryd, o'dd Dad yn dost, o'dd y plant ddim wedi dod, a
o'n i ddim yn hoff o'r syniad o nhw'n tyfu lan yn ardal
Wakefield, yn agos i'r ddinas. A fe dda'th y swydd yn yr
hen ysgol. Felly yn cyfuno'r pethe 'na penderfynais i roi
ffurflen gais mewn a ges i'r swydd. So nôl i Gymru.

A felly dyma'n record nesaf ni Going Home *o'r ffilm* Local
Hero. *Pam chi 'di dewis hon?*

Wel wi'n hoff iawn o'r ffilm 'na, ond y prif beth yw ma'r
ffilm 'ma yn cymryd lle ar arfordir gorllewin yr Alban. A
ry'n ni 'di bod i'r Alban sawl gwaith yn ystod y
blynyddoedd diwethaf, a ma' traeth ger Arisaig mae'n

hyfryd iawn, a ma'r golygfeydd yn y ffilm 'ma hefyd.

* * *

Unweth bo' chi'n ôl yng Nghymru dyma chi unwaith eto yn mynd i ymuno â chôr meibion, a Chôr Meibion Dowlais.

Yn ystod yr amser o'n i yn Nowlais fel dirprwy arweinydd, o'n i'n canu hefyd. Ces i sawl cyfle o '75 ymlân i arwain y côr oherwydd o'dd D.T. [Davies] ddim yn iach iawn a muned dwetha faswn i'n gorffod cymryd drosodd. Ar y daith gynta imi 'neud 'da'r côr i Luxembourg, ges i'r cyfle i arwain y côr yn yr Eglwys Gadeiriol, y noson gyntaf imi gweithio 'da'r côr. A wi'n cofio bod gyda'r côr draw yn yr Unol Daleithiau, o'dd y cyngerdd cynta i fod yn Eglwys Bresbyteraidd Arch Street yn Philadelphia, ag o'dd hen fenyw 'na, naw deg mlwydd oed, wedi dod o Danville i glywed y côr yn canu. Nawr o'dd hi wedi dod o Danville oherwydd dyna ble o'dd Joseph Parry wedi byw, a o'dd hi'n gwbod bod y côr 'ma o ardal Merthyr, felly o'dd hi isie dod i wrando. A dwedodd hi bod gŵyl bob blwyddyn yn Danville o gerddoriaeth Joseph Parry. O'dd yn amlwg fod y parch 'na yn parhau – a dydi'r un fath beth ddim yn digwydd yn Merthyr wrth gwrs.

Nagdi, wrth gwrs. Ond mi adawoch chi Gôr Dowlais?

Do, yn y diwedd. Perthynas gyda'r pwyllgor wedi diflasu rhywfaint. Ma' pethe fel hyn yn digwydd, ond atgofion melys iawn pan fydda' i'n edrych yn ôl.

Achos ma' dyn yn meddwl am focsio, bod e'n fyd caled. Mae'n gallu bod yn fyd caled yn arweinydd ar gorau meibion hefyd se'n i'n meddwl?

Rhai o'r bobol yn y corau 'ma, ma' nhw'n casáu 'i gilydd, bron fel cefnogwyr Caerdydd a Leeds United . . . Wi'n credu yng Nghefn Coed o'dd nifer o bobol yn methu derbyn y ffaith bod Dad wedi gadel Côr Cefn Coed i ymuno â 'nghôr i yn Nowlais. O'n nhw'n meddwl oddan ni'n neud rwbeth ofnadw.

A mynd wedyn i arwain Côr Pontypridd, Cymdeithas Gorawl Pontypridd a dynion a menywod. O'dd hynny'n fwy anodd Wynford?

O'n i'n teimlo pryd o'n i gyda Côr Pontypridd fasen nhw'n dod i bractiso acha nos Sul, efalle ar y ffordd gartre o'r capel. Efalle 'sen nhw'n galw mewn. Gyda'r corau meibion, mae'r cyngherddau 'na bob mis, a ma' nhw'n paratoi a ma' nhw'n gwybod bod nhw'n gorffod ymarfer yn gyson. Felly ma'r agwedd yn hollol wahanol. Ond ar ôl dweud hynny, ces i lot fowr o bleser gyda Côr Pontypridd. Weithiau wedyn ma'r elfen gerddorol a'r elfen bocsio yn dod at 'i gilydd. O'n i'n paratoi y côr cymysg eto yn Merthyr ar gyfer cyngerdd gyda Stuart Burrows yng Nghanolfan Rhyd-y-car, ag o'dd bocsiwr wedi dod i ymweld â Eddie a'i deulu, bocsiwr o'r enw Barry Michael o Awstralia. O'n i 'di trafod un o'i ffeits cynnar e yn erbyn Najid Deo o Fanceinion, a o'n i 'di trafod y ffeit 'ma lawr yn Aberafan, a wedi rhoi'r canlyniad i Najid Deo. O'dd Eddie'n gwybod o'n i'n paratoi y côr yma yn Capel Tabernacl. A ma' Eddie'n cerdded mewn i'r capel gyda Barry Michael, a Barry Michael yn dod lan i'r pulpud a ysgwyd llaw gyda'r dyfarnwr 'ma o'dd wedi rhoi canlyniad yn 'i erbyn e lawr yn Aberafan! Y corau yn cymeradwyo pan o'n nhw'n sylwi pwy o'dd y boi 'ma a beth o'dd e wedi 'neud. O dro i dro ma' pethe wedi dod at 'i gilydd.

Ar achlysur arall o'dd Eddie wedi llogi Pafiliwn yr Eisteddfod nôl yn mil naw wyth dim yn Gŵyr. O'dd yr Eisteddfod yn gorffen ar y nos Sul gyda'r Gymanfa Ganu, a Eddie'n defnyddio'r Pafiliwn ar y nos Lun i Colin Jones amddiffyn 'i deitl Prydeinig yn erbyn Peter Neal o Swindon. O'dd Eddie'n gobeitho wrth ofyn i Côr Meibion Dowlais i ganu y bysen i 'di bod yn arwain y Côr a dyfarnu'r noson 'ny. Ond nid 'y nhro i o'dd ar y rota i ddyfarnu. Ond o'dd hi'n noson hyfryd. Wi'n siŵr bod y canu wedi ysbrydoli Colin Jones yn fawr iawn a wedi hala ofn ar Peter Neal. Cyrhaeddodd e'r pumed rownd os dwi'n cofio'n iawn. Felly ma'r pethe wedi dod at 'i gilydd o dro i dro. A dyna'r achlysur diwethaf, y noson diwethaf i fi siarad â Johnny Owen. O'dd hynny rhyw fis cyn iddo fe fynd draw i Los Angeles i wynebu Lupe Pintor am bencampwriaeth y byd. Y noson hynny ro'dd e'n dal i ffindio fe'n anodd credu bod y cyfle 'ma wedi dod o'r diwedd. O'dd o'n methu credu bod e'n mynd i wynebu Pintor o fewn mis.

Trueni bod e 'di mynd yndefe?

Wel, ie, ond nid *mismatch* o'dd y ffeit 'na chi'n gweld. O'dd e'n haeddu bod 'na. A wedi neud yn arbennig o dda yn ystod y rowndiau cynnar.

Rych chi 'di dewis darn o'r Messiah fel eich record nesa.

Ma'n atgoffa fi o'r cyngerdd gyda Gwyn Hughes Jones, ond hefyd o'n i'n edmygu Geraint Evans yn fawr iawn a ges i'r pleser o gwrdd ag e ar drip ysgol i Salzburg nôl yn chwe deg wyth. O'dd Syr Geraint 'na yn canu Don Giovani. O'dd yr athro o'dd yn gyfrifol am y trip yn perthyn i Syr Geraint a wedodd Gethin wrtho bo' fi 'di gweld Howard Winstone yn colli 'i deitl yn erbyn José Legra ym Mhorthcawl ar y nos Fercher cyn hynny. Pan glywodd Syr Geraint hyn'na o'dd e isie gwybod mwy am y ffeit na o'dd e isie am y perfformiad, isie gwbod y manylion i gyd.

* * *

Wel Wynford, pam benderfynoch chi fynd yn ddyfarnwr?

Ma'n anodd dweud, ond wi'n credu bod 'i'n mynd nôl i'r chwedege. Un noson o'dd sioe draw yn Canolfan Criced Glyn Ebwy, o'dd Eddie 'di trefnu sioe bocsio draw 'co. Ag o'n i'n ishte wrth yr hen ddyfarnwr Eic Powell. Ar y pryd o'dd Eic yn neud tipyn o waith gyda *BBC Wales* a o'dd e'n sgrifennu colofn wythnosol i'r *Daily Express*, a rhwng y rowndie o'dd e'n tynnu'r carden 'ma gyda'r *Daily Express* allan o'i boced a rhoi'r sgôr lawr. A o'n i'n teimlo bod rhyw fath o *mystique* am yr holl beth. Rhywbeth cyfrinachol. A o'dd hyn yn apelio'n fawr iawn. Ond wedyn blynydde ar ôl hynny ondefe, es i i'r brifysgol a o'n i bant o'r *fight scene*, a o'n i'n teimlo'n ofnadw, gyda dim cysylltiad â'r gamp. Felly penderfynes i sgrifennu i'r bwrdd bocsio i ddechra ar y broses o ddod yn ddyfarnwr.

Yn y diwedd cymerodd e bron i bum mlynedd.

Beth o'ch chi fod i neud te?

Cyfweliad yn y man cynta, o'n i'n gorffod cael y cyfweliad 'ma draw ym Manceinion oherwydd o'n i'n byw yn Leeds. O'dd rhyw ugain o bobol yn eistedd mewn fel hanner cylch a o'n i yn y canol a'r cwestiynau yn dod fel bwledi. Ac ar ôl hynny, ar ôl profi o'n i'n gwybod am y byd bocsio, o'n i'n cael y cyfle wedyn i ddechra neud y profion sgorio tu allan i'r sgwâr. O'r diwrnod dechreuis i neud y profion sgorio, i'r cyfweliad nesa gyda panel y prif ddyfarnwyr yn Llundain, o'n i 'di sgorio rhyw pum deg pedwar o ffeits. Felly proses eitha hir, a ma'n nhw'n gorffod bod yn hapus bo' chi'n deall y gamp yn iawn. A wedyn cyfweliad ofnadw lan yn Llunden gyda'r dyfarnwyr 'ma, felly o'n nhw'n eitha hapus 'mod i'n gwbod beth o'n i'n neud a ges i 'nhrwydded ar y diwrnod cynta o fis Chwefror mil naw saith saith.

Ond mae'n jobyn cyfrifol on 'd yw e?

O ydi, ma' raid bod mor ofalus. Ry'n ni 'na i sicrhau diogelwch y bocswyr, a ma'r sgwâr yn lle hynod o galed. Mae'n lle peryglus iawn.

Allwch chi gyfiawnhau camp sy'n lladd, a lladd rhywun fel Johnny Owen?

Mae'n anodd iawn. Wi wedi tyfu lan gyda bocsio, a ma'r traddodiad teuluol 'na. Ma' pobol yn gweud, chi'mbod ma' nhw'n marw'n dringo'r mynyddoedd. Ma' nhw'n

121

marw yn rasio ceir ac yn y blaen. Ma' hawl 'da pob un neud 'i ddewis. Yn y diwedd yn aml ma' nhw'n sôn am bocsio fel *the theatre of dreams*, a mor aml y'n ni 'di gweld y bobol 'ma yn dod o gefndir eitha tlawd. Ac yn llwyddo yn y sefyllfa 'na. Cymerwch berson fel Johnny Owen. Fyse Johnny Owen ddim yn cael caniatâd i focsio y dyddie 'ma oherwydd ma'r scans wedi datblygu, ma' nhw mor soffistigedig. O'dd esgyrn y pen, mae'n debyg, yn denau iawn gyda Johnny, felly 'sa fe ddim wedi cael caniatâd i focsio. Ond chi'n gweld, tu allan i'r sgwâr o'dd Johnny Owen mor dawel, o'dd 'i'n boenus i siarad â fe. O'dd e mor dawel, mor ddiniwed. Ond yn y sgwâr, fel sgrifennes i rywle unwaith, *'The ring was his kingdom'*. Dyna ble o'dd e'n gyfforddus. O'dd 'i bersonoliaeth yn trawsnewid pan o'dd e'n camu trw'r rhaffau. A welais i byth mo Johnny Owen yn camu nôl. Nawr ma' rhai yn gweud, 'Wel, croen ag esgyrn o'dd e'. Ie, ond o'dd e mor ddewr, a o'dd e'n neud beth o'dd e'n mwynhau a neud beth o'dd e'n neud ore. Ond, i ddefnyddio geiriau Hugh McIlvanney [gohebydd chwaraeon], wi'n hoff iawn o McIlvanney, *'The tragedy of Johnny Owen is that he was articulate in the most dangerous language'*.

Ond drychwch chi wedyn ar yr effaith, drychwch chi, ar Mohammad Ali, druan ag e. A Howard Winstone, o'dd e hefyd yn diodde o gael 'i fwrw ar 'i ben.

Na, na, dwi ddim yn beio beth ddigwyddodd yn y sgwâr, 'na. O'dd Howard wedi cael problemau. O'dd e wedi cadw tŷ tafarn a cafodd e broblemau. Ond o'dd 'ffrindie', wedwn ni, gyda Howard pan o'dd yr arian yn dod miwn, ac ar ôl iddyn nhw weld yr arian yn diflannu collodd e'r ffrindiau yna. Ond ma' pobol yn tynnu materion moesol mewn i'r ddadl, yn 'dyn nhw. Ma' nhw'n gweud taw y bwriad yw'r broblem sy' 'da nhw yn y byd bocsio yndefe, y bwriad i neud niwed. Ond wi wedi bod mor ffodus i fynd i gyfarfodydd a petha hyd a lled Prydain, a wi'n gweld y cyn-focswyr 'ma'n dod at 'i gilydd, a gweld y ffordd ma' nhw'n ymrwymo ar ôl ffeits caled ma' nhw 'di cael flynydde'n gynharach. Mae'n syndod, ma' nifer ohonyn nhw, ar ôl ffeit caled, yn ffrindiau am byth.

Y frawdoliaeth.

'Na ni, ie. A sa i'n credu bod ni'n gweld yr un peth yn y byd rygbi, y byd criced, na'r byd pêl-droed. Dim ond yn y sgwâr. Beth yw e, wi'n credu, ma'r sgwâr yn lle caled iawn, lle anfaddeugar a mewn ffordd efallai dyna'r reswm ma' bocsio'n taflu lan y bobol arbennig 'ma. Wel, wi'n teimlo mor ffodus bo' fi 'di cymysgu gyda'r bobol yma . . .

Fel pwy nawr?

Wel Steve Collins, y Gwyddel o'dd wedi curo Nigel Benn a Chris Eubank, dwi wedi dyfarnu Joe Calzaghe a Steve Robinson, a sôn yn gynharach am Colin Jones a Johnny Owen. Wi 'di dod i nabod lot fawr o'r bobol 'ma. Ma' wedi bod yn bleser i'w galw nhw'n ffrindie. Mae 'di bod yn hyfryd.

Eich record olaf chi, yn addas iawn . . .

I ddyfarnwr, i arweinydd côr meibion, fy nhrefiant i o *My Way* gyda 'nghôr i ar y pryd, Côr Meibion Dowlais. Blynydde'n ôl pan o'n i'n trefnu *My Way* i'r côr yn

Nowlais, o'n i'n whare'r piano un noson a ma' Julie'n clywed hyn a ma' hi'n gofyn 'Beth ti'n neud?' A wedes i, wi'n mynd i drefnu *My Way* ar gyfer y côr. 'Os 'ti mynd i neud hwnna gyda'r côr wi'n gadel,' wedodd hi. Garies i mlân, a ma'i 'di clywed e sawl gwaith yn y dyddie 'ddar 'ny!

'Dwi'n cofio codi o 'nghorff a sbïo i lawr arna' fi fy hun'

Mel Fôn

Swyddog Urdd

Darlledwyd: 2 Ionawr, 1997

Cerddoriaeth:
1. *Surfing USA:* The Beach Boys
2. *Rhedeg i Baris:* Yr Anrhefn
3. *Gwlad y Rasta Gwyn:* Sobin a'r Smaeliaid

Beti George:

Mae 'da 'nghwmni i heddi fwy o reswm na'r rhan fwya ohonon ni i edrych ymlaen at flwyddyn newydd dda. Blwyddyn well na mae e wedi gael ers tipyn. Wath yn Ebrill '95 fe gafodd ddamwain ffordd erchyll. Roedd meddygon yn pwysleisio'i fod e'n ffodus iawn 'i fod e'n fyw. Ond gan 'i fod e o natur mor benderfynol fe oroesodd, ac er iddo golli'i ddwy goes mae e'n ôl ar ei draed fel petai, ac yn brysur yn paratoi ar gyfer Eisteddfod yr Urdd yn Islwyn ym mis Mai . . .

Beth yn hollol yw'ch cyfrifoldebau chi fel Swyddog Technegol yr Urdd?

Mel Fôn:

Yn achos y steddfod mi fydda' i'n edrach ar ôl popeth sy'n ymwneud â'r maes. Unrhyw beth welwch chi ar y maes, rydw i wedi bod yn rhannol gyfrifol am ei gael o yno. Mae pob pabell sydd o sylwedd wedi cael ei marcio allan gen i ac wedi cael ei rhoi yn y man arbennig hwnnw. Rydan ni'n eu rhoi nhw yn eu lle am wahanol resymau. Er enghraifft, mae pebyll sydd angen dŵr yn cael eu rhoi efo'i gilydd, a'r pebyll sydd angen trydan i gyd mewn un lle.

Mae'n cymryd tair blynedd i drefnu un steddfod, felly mewn ffordd mae gen i dair steddfod ar y go trwy'r amser. Weithiau mae pobol yn fy ngweld i o gwmpas Caernarfon yn yr haf ac yn deud 'Ti wedi gorffan efo'r steddfod rŵan. Be wnei di am weddill y flwyddyn?' 'Dwi awydd dechra busnes tacsi bach dros y gaea!' medda fi. Dwi'm yn meddwl bod pobol yn dallt sut mae petha'n gweithio.

Fe golloch chi ddwy eisteddfod yn 'do, steddfodau Crymych a

Wrecsam. Doeddech chi ddim mewn cyflwr i wybod rhyw lawer am eisteddfod Crymych beth bynnag.

Nâ wir, mi es i lawr am y diwrnod efo fy mrawd Bryn [y canwr a'r actor Bryn Fôn]. Mi roethon ni'r gadair olwyn yng nghefn y car ac i lawr â ni, jest i weld sut hwyl oedd pobol wedi'i gael. Siom fawr i mi oedd colli Crymych. Maen nhw'n griw da o bobol, mor frwdfrydig ac mor barod i dorchi llewys ac i helpu. Ro'n i wedi edrych ymlaen gymaint am fynd i fyw am tua deufis yn eu canol nhw.

Achos ar y ffordd i lawr o'ch chi yn te, pan ddigwyddodd y ddamwain erchyll 'ma?

Ie. Hwnnw fasa'n diwrnod gwaith cynta ni yng Nghrymych. Codi dau weithiwr arall yn y bore, Dennis Allsop ac Alan Jones o Gaernarfon. Picio draw i Borthmadog i godi'r fan o Gelli Rentals. Y cynllun oedd bod ni'n pigo hysbysfyrddau steddfod Dolgellau y flwyddyn cynt i fyny yn Nolgellau, a mynd â rheini lawr i Grymych i gael eu hail beintio ar gyfer steddfod Crymych. Dyna pam oedden ni angen fan. Ro'n i'n bwriadu aros am ryw dair noson yng Nghrymych, yr hogia'n helpu fi i farcio allan a mesur rhywfaint o'r llwybrau ac yn y blaen, a wedyn mynd adra erbyn y penwythnos. Dyna oedd i fod i ddigwydd.

Am ba hyd y buoch chi yn yr ysbyty?

Wel rhyw fis o'dd hi yn y diwadd . . .

A dwi'n deall mai chi benderfynodd fynd adre, yn hytrach na'r doctoriaid?

Wel, mi rois i lot o bwysa arnyn nhw. Mi ges i'r ddamwain ar y deunawfed o Ebrill, ac ar yr ugeinfed o Fai, os dwi'n cofio'n iawn, mi oedd y *Cup Final*. Dwi'n watsiad honno efo Dad fel arfer, a ro'n i'n meddwl, mi fasa'n braf cael bod adra erbyn y *Cup Final* a dyma fi'n gofyn i'r doctor beth oedd y gobaith . . . Mi ddeudodd y bydda fo a'r llawfeddyg, John Roberts, yn rhoi eu pennau at ei gilydd ac y basa fo'n dod yn ôl ata' i . . . Ro'n i wedi cael yr MRSA, rhyw siwpyr byg sy' ddim ond i'w gael mewn ysbytai ac sy'n ymosod ar greithiau agored. Ro'n i wedi'i gael o yn yr uned gofal arbennig. Mae o'n medru bod yn eitha seriws, roedd 'na bymtheg neu un ar bymtheg wedi marw ohono fo y flwyddyn y ces i o. Wedyn fuo gen i hwnnw ar ben bob dim arall . . .

Felly roedd yn well bod chi gartref mewn gwirionedd.

Dyna be ddeudon nhw. 'Mae 'na jans da os ei di adra mi gei di wared â hwn, a wedyn fasat ti'n gallu dod yn ôl dydd Mercher wythnos nesa 'to, a wedyn nawn ni ailgydio ynddi yr adeg hynny.' Dyma finna'n deud 'Iawn, ia, dim problem.'

Ond fe benderfynoch chi aros gartref.

Wel do.

Ry'ch chi'n foi penderfynol iawn yn 'dych chi?

Wel yndw, yndw.

A mae hynny'n hanfodol i ddygymod â'r hyn y'ch chi wedi mynd drwyddo fe.

Faswn i'n deud. Do'n i ddim ond yn gweld un ffordd o fynd. Faswn i byth wedi meddwl mynd ffordd arall, digalonni a rhoi i fyny, a meddwl 'Does 'na ddim dyfodol' a'r llall ac arall. Fel yr oedd Dafydd Jones, fy ffrind i o'r Felinheli wedi deud, 'Ro'n i'n gwbod pan oddach chdi'n sâl yn yr ysbyty, pan oddach chdi yn yr Uned Gofal Arbennig, y basa chdi'n dŵad drwyddi. Do'n i ddim yn poeni amdanach chdi.' Ro'n i'n meddwl bod hynna'n grêt achos roedd o'n gwbod am y 'nghymeriad i, a'r math o foi o'n i . . .

Roedd y doctoriaid wedi deud y noson gynta wrth Bryn, 'Wel gwranda, rwyt ti'n actor, ti 'di arfar dysgu leins a bod yn eitha cryf o flaen camera, o flaen cynulleidfaoedd. Rhaid i chdi fod yn gryf at bora fory achos mi all petha fynd unrhyw ffordd. Taswn i'n chdi faswn i'n dysgu dy leins i ddeud wrth dy rieni ella na fydd o ddim efo ni yn y bora.' Wedyn pan oedd Bryn yn deud hynny wrtha' fi, bod nhw wedi deud pa mor ddifrifol oedd petha, a finna'n sylweddoli 'mod i wedi'i gneud hi dros y noson gynta, ro'n i'n meddwl 'wel dyna fo, dwi wedi gneud hi, ma' gynna'i gyfle arall, ffwrdd â ni, awn ni amdani'.

Eich record gyntaf chi.

Y record gyntaf wnes i brynu erioed oedd y *Beach Boys*. O'n i'n licio hon achos o'n i'n medru chwara hi a meddwl am fynd lawr i Dinas Dinlle efo'r hogia pan o'n ni'n fengach. Oddan ni gyd yn mynd lawr ar y beics, a chal lot o hwyl a sbort i lawr yn fanno . . .

* * *

Gawsoch chi'ch magu yn Llanllyfni. A'r cyw melyn olaf o deulu o bedwar o blant, felly yn cael eich sbwylio fasach chi'n deud?

Maen nhw'n deud 'thaf fi bod fi wedi cael fy sbwylio ond dwi'm yn coelio llawer arnyn nhw. Na, dwi'n meddwl 'mod i wedi cael yn eitha da a deud y gwir.

Oedd gyda chi uchelgais pan o'ch chi'n yr ysgol? Beth o'ch chi'n mynd i neud pan o'ch chi wedi tyfu?

Does gen i ddim llawer o gof am ddim byd pendant. Dwi'n cofio meddwl y basa'n reit neis mynd i'r Llu Awyr achos roedd gen i dipyn o ddiddordeb mewn helicoptars a ballu ar y pryd. Hefyd ar un pwynt mi wnes i hyd yn oed feddwl mynd i'r *Marines*. A wedyn roedd Mam yn sbïo arnaf fi, 'O ia, ti isio mynd i'r *Marines*, o 'na chdi ta.' A finna'n ddall fath â bat ac yn dena gythreulig! A wedyn mi aeth y graduras â fi i'r lle gyrfaoedd yn yr ysgol a mi ges i boster y *Marines*. A dyna'r pella'r es i, diolch byth!

Rhyw deimlad sy' gen i yw nad oedd 'da chi ddim rhyw lawer o amynedd gydag addysg, oedd e? Achos fe adawoch chi'r ysgol; be gawsoch chi Lefel A neu be?

Na, yn ystod dechra gyrfa Lefel A ges i gynnig mynd i Goleg Celf yng Nghaer i wneud *foundation course* ar gyfer gwneud gradd mewn Celf. Ond ar ôl cyrraedd, mi wnaethon ni ffeindio bod 'na gamweinyddu wedi bod ac mi oedd rhyw ddeg i bymthag ohonan ni o'dd ar y cwrs yn gorfod gadal. Roeddan nhw wedi cymryd gormod ymlaen ar y cwrs. Roedd o'n dipyn o siom.

Felly, nôl i'r ysgol o'dd hi?

Ia. Y dewis oedd aros yng Nghaer i wneud Lefel A yn y coleg neu faswn i'n gallu bod adra. Ro'n i'n meddwl y basa'n lot haws ei neud o adra gan bod fi'n nabod lot mwy yn ôl yn Llanllyfni a mi fasan ni'n gallu helpu'n gilydd drwy'r Lefel A.

Ond fe adawoch chi wedyn cyn mentro?

Do, achos deud y gwir, ro'n i wedi torri 'nghalon braidd ar ôl cael dechra'r cwrs 'ma a gorfod dod adra wedyn. Mi ofynnais i i'r swyddfa gyrfaoedd yng Nghaernarfon, 'Fasach chi'n gallu ffeindio rhywbath i neud efo celf neu ddylunio neu'r math yna o beth, chwiliwch chi am swydd imi, mi wna i gario 'mlaen efo'r cwrs Lefel A yn y cyfamser'. A wedyn mi ges i alwad ganddyn nhw yn deud bod 'na job yn mynd yn y Cyngor Sir yn Adran y Penseiri. Roedd angen *draughtsman* yn yr Adran Dechnegol, adran trydanol a gwresogi, job rhan amser i ddechrau hefo hi, rwbath fel y *Job Creation* 'ma. Ges i ddechra yn fanno a wedyn ar ôl rhyw flwyddyn ges i nghymryd ymlaen yn llawn amser.

A mwynhau'r gwaith hwnnw?

Do yn bendant yn y cychwyn, ro'n i'n 'i weld o'n waith dymunol iawn. Mae'r Cyngor Sir yn dda iawn am eich addysgu chi a'ch symud chi ymlaen yn eich gyrfa. Ro'n i'n mynd i'r 'Tec' ym Mangor i gael hyfforddiant un diwrnod yr wythnos. Fues i'n mynd i gyd am saith mlynedd a wedyn mi ges i fy nghymwysterau technegol i gyd yn fanno. Diolch i'r Cyngor Sir am hynny.

A chael gwaith wedyn, gyda'r ddwy Eisteddfod i ddechrau, ond erbyn hyn, dim ond Eisteddfod yr Urdd. Felly pan fyddwch chi'n mynd i'r ardaloedd 'ma sydd wedi cael yr Eisteddfod, y peth cyntaf y mae'n rhaid i chi wneud ydi dewis safle a fe all hwnnw fod yn dyngedfennol o gofio am ein tywydd ni – ddim yn rhy agos i afon er enghraifft!

Yn hollol. Mae 'na bob math o ffactorau dan ni'n gorfod edrych arnyn nhw wrth ddewis safleoedd. Er enghraifft yn Nolgellau, roeddan ni wrth ochr yr afon ac mewn cysylltiad agos â'r Bwrdd Dŵr ar y pryd, achos mi oedd y maes parcio – mi fedra i ddeud rŵan achos ma'r Eisteddfod wedi gadael – mi oedd y maes parcio yn rhan o ardal gorlifo afon Wnion . . . Ond bob man 'dach chi'n mynd rydach chi'n gorfod cymryd risg efo'r tywydd.

A'ch ail record chi. Chi wedi dewis Anhrefn.

O'n i'n chwarae hon weithia, o'n i wedi bod yn ambell i bwyllgor ac wedi cael amser caled yno, methu cael y pwyllgor i ddod i benderfyniad a ballu ac yn teimlo 'mod i jest yn taro 'mhen yn erbyn wal. Wedyn o'n i jest yn neidio i'r car ac yn dreifio yn ôl adra a rhoi un *Anhrefn* ymlaen a'r foliwm reit i fyny ac yn meddwl 'Reit dowch ta, nawn ni redeg i Paris'.

* * *

Wel Mel ydi'r ddamwain yn dal yn fyw yn y cof?

Wel ydi . . .

Ac y'ch chi'n un sy'n fodlon siarad amdano fe, hynny yw dy'ch chi ddim wedi gwthio'r peth i gefn y meddwl a meddwl wel fe ddigwyddodd a 'na fe mae'n rhaid imi anghofio amdano fe?

Na, na, mae'n iawn. Fel dwi wedi deud o'r blaen, ar ôl i mi ffeindio allan pa mor ddrwg y basa hi wedi gallu bod, dwi wedi bod yn hollol iawn am y peth. Reit o'r cychwyn dwi wedi bod mor bositif, dwi jest yn meddwl wel ia, dyna'r ffordd fydd hi rŵan. Mae o wedi digwydd, fedri di ddim neud dim byd am y peth a dyna fo.

Achos gorfu ichi gael eich torri mas o'r fan wrth gwrs yn un peth yn do?

Do, do.

Y'ch chi'n cofio hynny, oeddech chi'n ymwybodol yn y cyfnod hwnnw felly?

Wel oeddwn, dyna'r peth. Dwi'n cofio fo'n digwydd i ddechra, o'n i'n gweld y lori 'ma'n dŵad yn ganol y lôn, olwynion blaen y lori bob ochr i'r llinellau gwyn, ac Alan a fi, jest yn meddwl, wel be ma' hwn yn neud. A wedyn o'n i'n gweld bod 'na *verge* gwair ar y chwith imi, felly wnes i benderfynu reit wel, os af i ar y gwair, fydda' i'n eitha saff, ac ro'n i'n hitio'r brecs. Ond be 'nath o oedd dod yn syth ymlaen – roedd gyrrwr y lori wedi colli rheolaeth ar y cerbyd yn llwyr erbyn hyn. Wnaeth o'n taro ni, wel, dim cweit yn *head on*, ond oedd o 'di hitio fy ochr i gynta. A wedyn dwi'n cofio dod ata'n hun ryw ben a gweld Dafydd Jones y plisman – dwi'n dipyn o fêts hefo Dafydd erbyn hyn – Dafydd Jones yn dweud, 'Hei ti'n iawn mêt, ti'n iawn, aros funud bach, be ti'n deimlo? Be 'di d'enw di?' Be ti'n neud?' a hyn a'r llall. O'dd o jest yn trio cael rhyw fath o sens allan ohona fi. Wedyn doedd y tri ohonan ni ddim yn gwbod yn iawn lle'r oeddan ni. Paid a poeni, dwi wedi ffonio pawb, medda Dafydd. Mae pawb ar ei ffordd. Pawb ar ei ffordd. A wedyn mi o'n i'n mynd i fewn ac allan o ymwybyddiaeth. A wedyn dwi'n cofio'r *paramedics* pan naethon nhw gyrraedd – oeddan nhw wedyn yn trio 'nghadw fi'n effro, jest er mwyn neud yn siŵr bod fi ddim yn mynd i slipio i mewn i ryw fath o coma neu beth bynnag oedd o.

Achos fydda' hi ar ben wedyn yn bydde hi?

Wel ia, roeddan nhw'n gallu rheoli'n well be oedd yn digwydd i fi os o'n i'n effro. Wedyn yr unig beth oedd yn cael ei neud oedd rhoid anasthetig i 'nghoesau fi. Ro'n i'n gwbod bod pethau'n eitha drwg achos mi o'dd y *dashboard* at fy mhenaglinia fi. Roeddan nhw'n siarad hefo fi trwy'r adeg, roeddan nhw jest yn deud, o ia be 'di d'enw di a lle 'dach chi'n mynd. O, lawr i steddfod Crymych. O ia, be 'dach chi'n neud yn fanno? Erbyn dallt, mi oedd yr hogyn wedi bod yn siarad hefo fi am dros ddwy awr, jest yn 'y nghadw i'n effro.

O'dd 'na unrhyw adeg pan o'ch chi'n meddwl eich bod chi 'di colli'r frwydr?

Wel, oedd yn bendant, o sbïo'n ôl. Roedd hi'n amlwg bod fi wedi'i cholli hi. Mi wnaethon nhw 'ngholli fi ddwy waith. Mi es gynta yn y fan a mi es i wedyn ar ôl cyrraedd yr ysbyty. Roedd o'n beth rhyfadd iawn yn y fan, mi fues i'n hir iawn yn deud wrth bobol am hyn. Dwi'n cofio meddwl amdanaf fi'n codi o 'nghorff ac o'n i tua ugain i dri deg troedfedd uwchben y fan yn sbïo'n ôl i lawr, yn sbïo ar siacedi melyn y paramedics yn gweithio arnaf fi. Cofio gweld y dail yn wyrdd ac yn llachar, llachar, ac yn gweld bod yr awyr yn las, las, las, ac wedyn mae'n rhaid bod nhw wedi rhoi rhyw fath o *injection* arall i fi, dwi'n meddwl mai rhoi *injection* i 'nghalon i oeddan nhw, a wedyn ddes i'n ôl i lawr ac yn ôl i mewn i 'nghorff.

Yn hir iawn wedyn ro'n i'n gwrthod siarad am y peth, achos ro'n i'n meddwl y bydda pobol jest yn meddwl, nad o'n i ddim yn gall. 'Am be ma' hwn yn mwydro? Mae o wedi cael cnoc yn 'i ben!'

Ond wedyn mi ddo'th Llinos Haf i 'ngweld i, Llinos o ardal Bangor. Mi ddo'th i 'ngweld i yn Dinas Dinlle pan o'n i wrthi'n dod ata'n hun. Ro'n i'n byw yno reit ar lan môr, ac ro'dd hi'n parcio'i char dros y ffordd, rhwng y tŷ a'r môr. Ro'n i'n gweld y car diarth 'ma'n dod a'r hogan gwallt tywyll 'ma'n dod allan, a dyma Cath yn gofyn i mi 'Pwy 'di hon?' Doedd gen i ddim syniad. 'Na, tyd 'laen, un o dy hen gariadon di neu rwbath'. 'Na, onest rŵan, 'sgin i'm cliw pwy 'di hi.' A dyma'r hogan 'ma jest yn deud 'Ti'm yn nabod fi, Llinos Haf ydw i. Dwi jest yn edrach amdana' chdi, jest i ddeud bo' fi wedi ca'l rhywbath tebyg i chdi.' Beth ddigwyddodd i Llinos, mi gafodd hi *meningitis*, a wedyn roedd rhaid iddi hi gael torri'i choesau i ffwrdd oherwydd y clefyd, a hefyd torri'i bysedd i ffwrdd. Maen nhw wedi gneud lot o waith ar Llinos, ond roedd hi mor gryf, dyna beth oedd mor anhygoel amdani, roedd hi'n bositif, roedd hi'n gês, ac yn dal yn hogan eithriadol o ddel, roedd hi'n ffantastig. Ac mi oedd hi'n ysbrydoliaeth dda i mi ar y pryd.

Ac roedd hi 'di cael yr un math o brofiad oedd hi?

Wel oedd. Do'n i ddim wedi sôn wrth neb tan hynny, a dyma hi'n gofyn i mi, 'Dwi'n dallt bod nhw wedi dy golli di yn y fan?' 'Do, do.' A wedyn ro'dd hi'n sbïo arnaf fi fatha bod hi isio gofyn rwbath, a dyna hi jest yn deud – 'Ti'n cofio rwbath yn digwydd i chdi?' A dyma fi'n deud bod gen i ryw gof 'mod i wedi codi o 'nghorff ac yn sbïo lawr arnaf fi'n hun. A dyma hi'n deud, 'O dwi'n falch bod chdi wedi deud hyn'na, achos 'nath o ddigwydd i mi, pan o'n i yn *intensive care* yn Llundain.' Roedd gan Llinos lai fyth o jans i fyw na fi. O leiaf ro'n i'n *fifty-fifty*; rwbath fatha *twenty-eighty* oedd Llinos druan. Roedd hi'n eithriadol o lwcus.

Ydi hyn wedi newid eich ffordd chi o edrych ar grefydd a Duw a pethe fel byd a ddaw, y nefoedd ac ati?

Ydi yn bendant. Do'n i 'rioed yn greadur crefyddol. Ro'n i'n gweld bod crefydd ar fai a gymaint o betha sy'n mynd o'i le yn y byd 'ma, wrth feddwl am Rwanda er enghraifft,

Gogledd Iwerddon ac yn y blaen. Do'n i rioed yn un cryf am grefydd. Ond yn bendant dwi'n coelio bod gan bawb, wyddoch chi . . .

. . . yr enaid yma y mae'n nhw'n sôn amdano?

Dwi'n meddwl bod gan bawb enaid yn bendant. A'r diwrnod arbennig yna, mi oedd yn enaid i yn mynd i rwla, sw'n i ddim yn licio deud i lle!

Achos weloch chi mo'r lle hwnnw, do fe?

Naddo, naddo, do'n i ddim llawer o awydd mynd yno 'radeg hynny a deud y gwir. Ro'dd gen i lot o betha i neud!

A fe dorrwyd eich coesau chithau hefyd. Pan ddihunoch chi yn yr ysbyty, beth oedd eich ymateb cyntaf chi, achos ro'dd eich brawd Bryn gyda chi wrth gwrs?

Oedd, roedd Bryn hefo fi gydol yr amser. O'dd Bryn jest yn ffantastig. Faswn i ddim yn gallu deud pa mor ddiolchgar ydwi iddo fo. Wrth gwrs mae pawb yn deud, wel dy frawd di oedd o. Ia, ond, ro'dd o'n grêt, o'dd o hyd yn oed wedi cynnig gwerthu'r ffarm a phob dim sy' gynno fo jest er mwyn fflio fi i rwla i gael arbed torri 'nghoesau fi i ffwrdd. Wedyn roedd y doctor 'ma o Dde Affrica, dwi'n 'i gofio fo'n iawn, wedi deud wrtho fo 'Na does 'na ddim pwynt, mi fasa ni'n gneud, Bryn bach os basa 'na bwynt, ond fedrwn ni ddim. Mae'n ddrwg iawn gen i – mae raid ichdi seinio'r papurau sy'n rhoi'r hawl i ni i dorri'i goesau fo i ffwrdd, neu fel arall fysa'n ni'n gallu'i golli fo.' Achos erbyn hynny ro'n i wedi mynd trwy ddau ddeg wyth peint o waed, felly mi oedd petha'n ddrwg iawn.

Wedyn mi oedd Bryn yn cael andros o drafferth efo fi, i 'nghael i i ddeall rhyw ddau ddiwrnod neu dri ar ôl y ddamwain be yn union oedd wedi digwydd. Dwi'n cofio un tro ro'n i wedi gofyn ble oedd y toilet. Mi oedd Lis fy chwaer yno hefyd. 'Paid â poeni,' meddan nhw, 'mi awn ni i nôl potal ne' rwbach i chdi.' 'Na mi fydda' i'n iawn,' medda fi, 'Mi wna i fynd i toilet rŵan, 'sdim isio mynd i drafferth.' 'Na, na, na, rhaid ichdi aros.' Adeg hynny ro'dd Bryn 'di trio deud, 'Y peth ydi, ma' nhw wedi gorfod torri dy goesau di ti'n gweld.' 'Paid a mwydro,' medda fi, 'ma' nghoesau fi'n iawn, dwi'n gallu teimlo nhw'n iawn. Lle mae'r toilet 'ma?' Y diwrnod wedyn roedd o'n dal i drio deud 'mod i wedi colli 'nghoesau a hyn a'r llall. Ro'n i ar y morffin 'ma hefyd, a do'n i ddim yn gwybod be ddiawl oedd yn mynd ymlaen a deud y gwir. Doedd gen i ddim syniad. A wedyn roeddech chi . . .

. . . yn gweld rhyfeddode?

Ro'n i'n gweld y gath yn yr Uned Gofal Arbennig, a dyma fi'n deud, 'Esgob, be ma'r gath 'ma'n neud fan hyn? Neith rhywun agor y drws i'r gath, dwi'n siŵr bod hi isio mynd allan.' Dyna Lis yn deud, 'Na, 'di'r gath ddim yna 'sti.' O'n i'n deud bob math o betha gwirion.

Dwi'n cofio mai dim ond pethau i'w yfed o'n i'n gael yr adeg hynny yn yr Uned Gofal Arbennig. Un adeg ro'n i'n cael masg gan bod fy ysgyfaint ochor dde fi wedi colapsio; o'n i'n gorfod anadlu drwy'r masg 'ma, a chael hwn am ryw awr a hanner ar y go. Argol ro'dd o'n waith caled, ag o'n i'n chwysu. A dwi'n cofio nes i ga'l diod o ddŵr drwy'r *straw*, ew oedd o mor dda, a wedyn dyma fi jest yn torri gwynt. Mi o'dd Cath yno ar y pryd a'r nyrs, Bethan, oedd yn edrach ar fy ôl i. Ro'n i mor wan, do'n i ddim yn gallu siarad yn glir iawn, roeddan nhw' n gorfod dod yn agos iawn ataf fi. A roeddan nhw'n fy nghlwad i'n deud *'Shrewsbury Police'*. 'Na,' medda Cath, 'doedd y *Shrewsbury Police* ddim byd i 'neud efo'r peth 'sti, Heddlu Gwynedd o'dd o, achos yn Nolgellau neu Maentwrog oddach chdi.' A dyma fi jest yn ysgwyd fy mhen ac yn dechrau gwylltio rŵan, ac yn deud, 'Na, naci, a wedyn o'n i'n 'i ddeud o eto. A dyma Bethan yn deud hefyd, 'Dwi'n siŵr 'na *Shrewsbury Police* ddeudodd o.' A be o'n i'n ddeud o'dd 'Sgiws mi plîs'. O'dd o'n swnio fel *Shrewsbury Police!*

A'ch trydedd record chi. Mae'n rhaid cael Bryn yn 'does.

O oes, mae'n rhaid cael 'rhen *Sobin*. Dwi 'di dewis *Gwlad y Rasta Gwyn*, er bod Dad isio *Mardi Gras*. Mi sgwennodd Bryn hon efo Rhys Barri, a dwi'n dipyn o fêts hefo Rhys ac mae gen i stori amdano fo.

* * *

Yn y dyddiau cynta pan es i allan o'r ysbyty, mi fydda' Bryn yn dod draw. Os o'dd o'n chwara'n rwla'n lleol, ro'dd o'n fy mhigo fi i fyny, a mynd â fi yn y gadair olwyn i lle bynnag fasa fo'n chwara, jest er mwyn i mi gael mynd allan a chael 'rom bach o hwyl. Doedd fy nghoesau plastig newydd ddim gin i 'radag honno, ro'n i jest yn ista yno heb goesa. Mi aethon ni lawr i Lithfaen i'r *Fic*, tafarn sy' n cael ei chadw gin y bobol leol. Grêt o le – roeddan ni'n cael hwyl yno bob tro. Yr unig broblem oedd, doedd 'na ddim ramp i fynd i'r toiledau. Roeddach chi'n gorfod ffeindio ffordd arall i fynd i'r toiled, math o beth. Ond fel ro'n i'n mynd i fewn ro'n i'n gwbod bod petha wedi bod yn eitha drwg yna, dwi'n meddwl bod 'na ryw barti deunaw oed wedi bod achos mi oedd y lle yn llawn o'r poteli *Hooch* 'ma. Roedd pawb yn yfad rheini ac roeddan nhw'n amlwg wedi bod yno ers canol y pnawn, a pawb yn chwildrins! Roddan nhw'n edrach ymlaen rŵan at y noson lle'r oedd Bryn yn mynd i fod yn canu iddyn nhw. A dyma fi'n deud wrth Rhys , 'Gwranda, wnei di bicio â fi allan i'r ffrynt, awn ni tu ôl i'r ceir 'ma a fedra' i gael pi-pi bach yn fanno.' Felly aeth Rhys â fi allan, ond roedd 'na ryw un step eitha cas wrth y drws ffrynt a fynta'n gorfod fy nghael i i lawr y step. Doedd Rhys rioed wedi bod yn powlio'r gadair olwyn o'r blaen, wedyn ro'n i'n gorfod deud wrtho fo be i wneud. Ar ôl i mi orffen roeddan ni'n dod yn ôl i mewn ac yn gorfod mynd dros y step anodd 'ma unwaith eto. Ro'n i'n dal y drws yn agorad a Rhys yn tipio ffrynt y gadair yn ôl er mwyn fy nghael i dros y step, ond be welis i o 'mlaen i ond y llafnyn ifanc 'ma, doedd o fawr mwy na deunaw oed, yn amlwg yn mynd i fod yn sâl, achos ro'dd gynno fo law dros 'i geg. 'O Rhys, Rhys, watshia dy hun,' medda fi. Ro'dd Rhys yn sbïo ar lawr lle'r oedd y gadair olwyn 'ma'n mynd dros y step 'Dwi'n iawn, dwi 'di gael o,' medda fo. 'Naci Rhys, ti'm yn dallt, sbïa o dy flaen, brysia . . . ' A mi oedd hi'n rhy hwyr. Mi aeth y cradur yn sâl drosta fi i gyd. 'Sori mêt,' medda fo, a thrio ysgwyd fy llaw i efo'r efo'r llaw 'ma oedd o wedi newydd 'i rhoi dros 'i geg! Dyma Rhys yn mynd â fi yn ôl at lle'r oedd Bryn yn ista. Ac yn lle bod biti drosta i roedd pawb jest a marw o chwerthin ac yn gweiddi petha fel *'The drinks are on Mel tonight!'* A roedd hyn yn grêt mewn ffordd achos roedd o'n ffordd dda o 'nghael i i feddwl, 'Does 'na ddim byd wedi newid, rydan ni'n dal i gael laff, a fel hyn y bydd hi.'

A fel hyn fydd 1997?

O ia'n bendant. Dwi'n edrach ymlaen. Mae isio mwynhau bywyd yn'does?

'Does 'na ddim profiad tebyg i roi peltan i rywun ar 'i drwyn'

Orig Williams

Reslar

Darlledwyd: 25 Ebrill, 1996

Cerddoriaeth:
1. *Y Nefoedd:* Mary Lloyd Davies
2. *Ynys y Plant:* Patricia O'Neill
3. *Llanfihangel Bachellaeth:* Bryn Terfel
4. *Y Ddau Wlatgarwr:* Richard Rees a Dai Jones

Beti George:

*Ma'r cwmni heddi yn rhyw ddau gan milltir oddi wrtha' i gan
'i fod e yn y stiwdio ym Mangor. Teimlo ydw'i am unweth nad
yw hynny'n ddrwg i gyd. Dwi'n ame petai ni yn yr un stiwdio
a finne'n gofyn cwestiwn 'bach yn lletchwith iddo y bydde fe'n
rhoi pelten i fi . . . Cafodd ei eni a'i fagu yn Ysbyty Ifan, yn fab
i chwarelwr, ac fe ddysgodd sut i ddefnyddio'i ddyrne yn ifanc
iawn, pan o'dd e'n cynrychioli Cymru yn erbyn yr ifaciwîs o
Lerpwl. Roedd 'dag e ddwy droed eitha handi hefyd gan iddo
chware'n broffesiynol i dimau pêl-droed Oldham Athletic a
Shrewsbury Town. Mae'n ffrindiau pennaf â Billy Two Rivers a
Mick McManus, a fe sefydlodd reslo i fenywod yng Nghymru.
Mae'n cael ei nabod fel El Bandito, ond i ni heddi, Orig
Williams yw e . . .*

*El Bandito â swyddfa 'dag e. Fe ges i sioc pan ffones i chi. O'n
i'm yn sylweddoli y bydde gan El Bandito swyddfa.*

Orig Williams:

Nag oeddech chi? Dwi'n byw yn Llansannan ar hyn o
bryd, ond ma'n swyddfa fi yn Rhyl.

A be'ch chi'n neud yn y swyddfa 'ma te?

Wel, rhedeg reslo Beti, a ma' raid ichi gael reslo. Rhaid i
chi gael swyddfa i redeg reslo fath â rhedeg pob peth arall.
'Swn i'n edrych yn wirion iawn ar focs tu allan i
Woolworth yn baswn?

Fasech chi?

Ydach chi'n meddwl mewn difri bod dyn syrcas yn

trefnu'i daith o ar gefn eliffant? Rhaid i chi gael swyddfa, ma' gynnoch chi swyddfa, ma' gin bobol Caerdydd 'na swyddfeydd pwysig. Pam lai i El Bandito gael swyddfa?

Os 'da'ch chi ysgrifenyddes wedyn a receptionist *a rhyw bobl fel'na?*

Nagoes. Ma' gen i ysgrifenyddes, sef y wraig, sydd yn un dda, ond dim *receptionist* – rhyw betha crach 'di rheiny.

Pam y'ch chi'n cael eich galw'n El Bandito gyda llaw?

Stori dda, stori dda.

Nid bod Ysbyty Ifan yn bandit country *does bosib?*

Mi roedd Ysbyty Ifan yn *bandit country* ers talwm. Roedd y Gwylliaid Cochion yn byw yno. Ond yn Efrog Newydd y ces i'r enw. O'n i'n ista yn yr ystafall newid, a oedd 'na ryw Fecsican mawr pwysig o'r enw El Bandito i fod yn *top of the bill*, ond dodd y dyn heb gyrradd. A dyma un o reslwyr yr Americanwyr yn deud wrth yr hyrwyddwr, *'Hey Max, the god damn Limey looks more like a wetback than he does an Englishman, why don't you use him as El Bandito'*. Y munud hwnnw, ges i newid o fod yn Gymro i fod yn Fecsican.

Ymhen rhyw wythnos nawr fe fydd El Bandito yn Sain Ffagan o bob man, hynny yw, dy'n nhw'm yn mynd i'ch anfon chi yno i fod yn un o'r hen greiriau nawr Orig y'n nhw?

Na dwi'm cweit digon hen i hynny. Be 'dan ni'n neud

yno'n hollol ydi chwilio am bobol i ddod ymlaen, sef i herio y Cymro dewra'. Cystadlaethau hen ffasiwn ydyn nhw, sef taflu maen, taflu trosol, codi engan, neu eingion fel byddach chi'n deud yn y De.

Ma'n nhw'n hen gampe Cymreig felly?

O ydyn, y cwbwl lot ohonyn nhw.

Y'ch chi'n gorfod ymarfer wedyn ar gyfer rhywbeth fel hyn, byta digon o gig eidon nawr?

Wel cwestiwn da 'radag yma, yn te. Dwi'n gweld dim byd yn matar ar y cig eidion o gwbwl, dwi'n dal i fyta fo, cymryd dim sylw [o'r pryderon am BSE], ond raid i chi ymarfar at bob peth. Os 'dach chi isio bod yn ffit, rhaid ichi ymarfar wrth gwrs.

Ydi'r hyn y'ch chi'n fwyta yn bwysig i fagu'r cyhyre 'ma ag ati, neu ydi hynny wedi digwydd pan o'ch chi'n blentyn?

Pan 'dach chi'n blentyn dwi'n meddwl, ma' pobol heddiw 'ma yn lot mwy nag oeddan nhw ers talwm. Y ni fel Cymry, pobol bach bach oeddan ni. O'dd y drysa ers talwm yn lot llai nag yden nhw heddiw 'ma. Dan ni'n byta gwell bwyd yn naturiol. Felly yn naturiol ddigon 'dach chi'n mynd yn fwy.

Yn y dyddie hyn bechgyn Baywatch, *rheiny ydi'r ffefrynne gan y merched erbyn hyn a nid pobl fel El Bandito, ife ddim?*

Wel, ma'n dibynnu sut ferchad ydyn 'nw. Rhyw bobol

plastig ydw i'n gweld rhain, dwi'n gweld dim byd ynyn
nhw o gwbwl . . .

*Be sy' 'dach chi ar eich passport chi gyda llaw? Achos dwi'n
meddwl fydde rhoi rhywbeth fel strong man neu wrestler ar y
passport, fydde hynny'n cael 'i dderbyn?*

Dim o gwbwl. Os rhowch chi bod chi'n reslar ne' rwbath
felly ma' pobol yn edrych arnoch chi bob amsar fatha
rhyw *King Kong* ar dop yr *Empire State Building*. Beth
fydda' i'n roid ar y passport ydi *Company Director*. Achos
ma' gin i gwmni o'r enw *Shape Dome*, dwi'm yn deud
c'lwydda felly.

Nawr te, eich record gynta chi.

Wel, oes bosib cael un o 'nghaneuon bore oes i, Mary
Lloyd Davies yn canu *Y Nefoedd.*

* * *

Nefoedd i chi pan o'ch chi'n blentyn o'dd Ysbyty Ifan ife Orig?

Heb os Beti bach, heb os.
    Fydda' i'n ymfalchïo bob amsar 'mod i edi cael fy ngeni
yno. Mi ges i ryw *injection* o Gymreictod ym more oes sy'
'di mynd â fi i bedwar ban y byd a wedi dod â fi yn ôl.
    Amsar rhyfal o'dd hi, a mi ddigwyddodd 'na ddau
beth mowr yn Ysbyty Ifan. Mi ddoth 'na ifaciwîs yno o
Lerpwl, dyna oedd y peth cynta. Faciwîs tua deuddeg
oed, methu siarad gair o Gymraeg a ninna yn uniaith
Gymraeg hollol yn methu siarad Saesneg. A o'dd hi'n

146

mynd yn helynt rhyngtha ni â nhw, oeddan nhw'n galw ni 'Dêyti bastads' a ballu. O Scotland Road yn Lerpwl oddan nhw'n dŵad. A wedyn o'dd hi'n mynd yn ffeit rhyngthon ni o hyd, a fi oedd yn cynrychioli 'ngwlad. Ag yn colli rhan amla'. O'dd 'na hogyn mwy na fi o'r enw Edwin Flood bob amsar yn 'y nghuro fi. Ond ges i bractis iawn. A'r ail beth pwysig oedd, mi ddoth 'na ddynas bwysig hollol o'r enw Dame Leila Megáne i fyw yno. O'dd Osborne Roberts 'i gŵr hi yn dŵad o Ysbyty Ifan. Brodor o 'Sbyty o'dd o, wedi'i fagu yn y Swyddfa Bost. A oeddan nhw'n dŵad yn strêt o'r La Scala yn Milan i Ysbyty Ifan pan dorrodd y rhyfal allan.

O'dd Leila Megáne wedi bod yn canu yno felly?

Oedd, ag o'n i'n grwtyn yn y sedd 'gosaf iddi yn digwydd bod yn y capal yn edrych ar y ddynas yma. A fydde'r oedfa yn mynd yn ddistaw i gyd ar ddiwadd y noson a fydda' Osborne Roberts yn chwarae'r gân yma a fydda'r ddynes grand yma hefo het fowr a phlu yn i phen 'i a siôl am 'i sgwydda yn morio canu *Ar ôl gofidiau dyrys daith.* O'n i'n dotio at y peth.

Ew, dyna chi brofiad yntefe. O'dd ganddi lais felly oedd?

Ardderchog o lais, ardderchog o lais. Yr unig beth oedd yn 'i herbyn hi ar y pryd, o'dd hi'n siarad Saesneg efo'i merch. Isaura o'dd enw'i merch hi, ag o'dd hi 'di bod i ffwrdd gymaint o'dd hi 'di arfer efo'r *babysitter* a hyn a'r llall, wedi siarad Saesneg. Oddan nhw'n wfftio ati yn 'Sbyty. Methu'n glir a dallt be' o'dd isio hon siarad Saesneg a hitha'n medru siarad Cymraeg. Dyna'r unig bechod, ond ro'dd pawb yn dotio ati a'r ddau beth pwysig yn 'Sbyty ar y pryd oedd un, wrth gwrs, bod yn ganwr da, a'r llall oedd bod yn gry'. A dodd gin i'm gobaith bod yn ganwr, felly o'dd raid imi afael ynddi i fod yn ddyn cryf.

Felly, mi o'ch chi'n blentyn cryf o'ch chi?

Wel, o'n i'n trio bod bob amser.

A'ch tad yn chwarelwr?

A 'nhad yn chwaral yn Ffestiniog.

A digon o waith yr adag honno oedd?

Digon o waith, ro'dd 'na ddigon o waith i bawb, o'dd 'na neb ar y dôl. Do'n i rioed wedi clywad sôn am y dôl.

O'ch chi'n sôn am gryfder a chanu, ond o'dd capel hefyd siŵr o fod yn bwysig o'dd e?

O oedd rhaid i chi fynd i'r capal dair gwaith bob dy' Sul. Deg o'r gloch yn y bora i'r oedfa, dau o'r gloch i'r Ysgol Sul a chwech o'r gloch wedyn i oedfa'r nos. A mi ddysgis i lot fawr yn yr Ysgol Sul.

Faint o hwnnw sy'n aros 'da chi heddi?

Lot fawr.

Ydi e wir?

Lot fowr Beti bach, oes wir. A w'chi, roeddan nhw'n deud wrtha' i, 'Un Duw sydd' a bally. A pen es i o'no, a pan wnes i gyrradd Pakistan a 'dach chi'n gorfod llenwi ffurflen i fynd i mewn i wlad ddiethr – enw, rhif y pasport a hyn a'r llall – a un o'r cwestiynau oedd *religion*, a dyma finna'n rhoi *Welsh Methodist*. Ac wrth imi fynd drwodd dyma'r dyn yn gweiddi arna' i'n ôl, 'Hey, what is this, what is this Welsh Methodist? I've never heard of this. Are you a Christian or are you a Muslim?' 'Christian, syr', medde finna. 'Then you are a fool,' medde'r dyn, 'There is only one god, and that is Allah'. A *straight away* o'n i'n cofio'r stori o'r Ysgol Sul yn 'Sbyty, ma' rywun 'di deud clwydda wrtha'i. O'dd rheiny 'di deud 'tha i na un Duw sydd, ag o'dd y dyn yma yn deud peth gwahanol.

Chawsoch chi mo'ch argyhoeddi i droi at Allah chwaith do'fe?

Naddo, naddo, bobol bach naddo, yr Hen Gorff Beti bach, yr Hen Gorff.

Ych chi'n aelod heddi?

Ydw, dwi'n aelod ond dydwi'm yn mynychu'r capal chwaith. 'Sgen i ddim byd ond parch i'r bobol sy'n gneud, ond dwi'n meddwl 'mod 'i 'di mynd lawr rhy bell odd'ar y llwybr cul, fasa isio JCB i'n hel i'n ôl.

Ych chi'n darllen eich Beibl?

Nacdw. 'Dach chi'n gofyn cwestiynau cas i bawb 'dwch, neu mond i mi?

O'dd gyda chi syniad gyda llaw, pan o'ch chi'n blentyn yn Ysbyty Ifan, beth o'ch chi'n mynd i neud pan o'ch chi wedi tyfu lan?

Wel, oedd. Mi ddigwyddodd, o'dd hi'n amsar rhyfal fel o'n i'n deud a mi dda'th 'na ryw ddyn o'dd yn yr *Airforce* ar y pryd â pâr o fenyg bocsio adra i'r pentra. Aled Lloyd o'dd 'i enw fo, ag o'dd hogia'r pentra i gyd yn trio bod yn focswyr felly, ac yn dotio at y peth, ond o'dd y *chap* yma yn dotio mwy na neb arall, ag yn darllan am Tommy Farr. Tommy Farr o'dd yr arwr mawr. A dwi'n cofio ar y pryd o'dd Tommy Farr yn sgwennu yn y papur o'r enw *Empire News*, ag o'dd o 'di deud un dydd Sul *'I am no angel. There are no angels in Tonypandy, nor yet in all the coalfields of my native Wales'*. O'n i 'di dotio at y dywediad. Mae o efo fi tan heddiw 'ma.

Ie. A beth o'ch chi'n mynd i neud wedyn 'te, pan fyddech chi 'di tyfu?

Wel dodd gen i'm syniad. Ffarmwr oedd pawb o' nghwmpas i, ond dodd gen i'm awydd bod yn ffarmwr. Taswn i 'di bod, mi faswn i'n ddyn cyfoethog fel ma' nhw i gyd heddiw 'ma.

A doeddech chi ddim isie gwaith tebyg i'r hyn o'dd gan eich taid ife, ne'ch hen daid?

Nagoedd wir. Dwn i'm ydio'n lle imi ddeud ar y radio, ond 'dach chi'n gwbod amdana' i, os gwnân nhw 'nhorri fi oddi ar yr awyr mi wnân. Ond ro'dd fy nhaid yn gweithio yn y pandy, lle ciwrio'r gwlân. A'i job o oedd mynd rownd y tai . . . dwy stryd o dai sy' 'na yn 'Sbyty Ifan, a'i job o o'dd mynd rownd efo bwcad a cnocio ar y drws bob bora a gweiddi 'Meri, ti 'di piso'n o lew neithiwr?' A pam o'dd o'n gofyn hynny? O'dd o'n hel y golch i fynd i giwrio'r gwlân am bod o'n gry' o *ammonia* . . .

Ydi hyn yn wir nawr Orig? Ne tynnu 'nghoes i y'ch chi unwaith eto?

Gwir bob gair. Dwi rioed 'di deud gair o glwydda am 'Sbyty Ifan. Dwi 'di deud lot o glwydda yn fy oes, ond ma' honna'n stori wir hollol. Ond dydi'm yn stori i chi ddeud ar y BBC.

Ond y'ch chi wedi deud hi'n awr.

Do, do. Mae'n rhy hwyr . . . dan ni'n dal ar yr awyr dwch?

Wi'n credu'n bod ni. Ynys y Plant *y'ch chi 'di ddewis fel eich record nesa, a Patricia O'Neill yn canu. Pam nawr te?*

Does 'ne eiria arbennig o dda yn hon. Ma' 'ne ryw hiraeth yn cael 'i ddangos ynddi, yn well na mewn unrhyw gân arall dwi'n meddwl.

* * *

Ma'n rhaid bod ynddoch chi rhyw feddalwch cyn bod chi'n dewis record fel'na?

Wrach bod hyn'na'n wir. 'Dach chi'n meddwl rŵan am y

geiria ac 'yn eu canol hapus lu'. Pobol fel 'na dwi 'di bod yn 'u canol nhw ar hyd fy oes. Ddim rhyw bobol sych-dduwiol sy' mewn *offices* crand yn Gaerdydd ag ati, ond dwi . . .

Beth sy' 'dach chi yn erbyn rheiny Orig, achos ma' nhw'n neud 'i job yn iawn siŵr o fod?

Cŵn rhech, Beti bach, cŵn rhech. 'Yn eu canol hapus lu', pobol hapus ydi'r reslars 'ma 'dach chi'n gweld. Pobol ddrwg, ond pobol hapus.

Fydd 'na ddeigryn weithe yn dod i'r llygad 'na?

O bydd, reit amal. Reit amal.

Beth sy'n achosi nhw?

Wel, 'dach chi'n meddwl am amball i beth. Dach chi'n clywad rhai o'r caneuon 'ma, ychi, yn ôl at *Ynys y Plant*, neb yn marw, 'sa hynny'n deimlad da'n basa? Dach chi'n colli ffrindia da pan ma'n nhw'n marw. Dwi'n methu dallt na fasa rhywun 'di ffindio rhyw giwar o rywle i hynny bellach.

Fe basioch chi'r scholarship *i fynd i Ysgol Ramadeg Llanrwst?*

Mi basies i'r *scholarship* yn bwysig i gyd, ag es i fanno . . . dim llawar o ddiddordab yn yr ysgol . . .

Nag o'dd wir? O'ch chi'm yn gneud yn dda mewn pethe fel Lladin a pethe fel'na nawr?

Bobol bach nag o'n i. O'dd gin i ddim mynadd o gwbwl efo nhw.

Beth oedd gynddoch chi ddiddordeb ynddo 'te?

Dim ond pêl-droed a bocsio a rhedeg. O'n i'n *victor ludorum* . . . yn bencampwr athletau'r ysgol am dair blynadd, dyna'r unig beth o werth wnes i yno . . . Ro'dd 'ne *National Service* amsar honno, a mi ges i'n hel i'r *Airforce*, i'r R.A.F., ac fel o'dd Cynan yn deud, 'euthum i wersyll ger y dref lle torrai gwŷr di-dduw eu llef'.

Yn ble o'dd hyn Orig?

Yn Padgate. Oddach chi'n gorfod mynd i Padgate yn ymyl Warrington, amsar 'no.

A fan'ny fuoch chi am ddwy flynedd?

A fues i yno am ddwy flynedd am 'mod i'n focsiwr da, yn chwaraewr pêl-droed da ac yn athletwr da, oddan nhw'n 'y nghadw i yno . . .

Ac yn eich disgyblu chi?

Do, hollbwysig. Do'n i ddim yn ddyn mynd dros ben llestri yn 'rysgol, ond o'n i'n fwy dros ben llestri yno nag oeddwn i yn yr *Airforce*. Ges i'n rhoid ar 'y nhin yn handi iawn yn fan'no. Pobol yn gweiddi arnoch chi ac yn eich diraddio chi.

A chithe'n fodlon derbyn hyn? Chi o bawb.

Wel, dodd gynna i'm dewis Beti bach, ne' 'swn i yn y carchar, ar jancars fel oddan nhw'n deud.

Achos o'ch chi'n siŵr o fod yn fwy na'r rhan fwya ohonyn nhw o'ch i ddim?

Yn lot mwy, ond o'dd 'na lot mwy ohonyn nhw Beti.

Ac un Cymro bach wedyn yng nghanol . . . be, Saeson, Americanwyr?

Ia, Saeson oedd yn camp ni. O'dd 'na bum mil ohonan ni yn y camp, a finna hefo Saesneg clapiog, methu cael hyd i ferchad o gwbwl. O'n i 'di clywad a 'di dod i ddallt erbyn hyn bod 'ne ryw ddiddordab mawr rhwngtha i a merchad. Ond o'n i'n methu cael rhai yn Warrington, achos o'dd yr *US Airforce* yno, ag o'dd rheini'n cael lot fawr mwy na ni. Punt a chweigian yr wythnos odden ni'n gael. O'dd rhein yn cael tua degpunt yr adeg honno.

Ac o'n nhw bob amser yn edrych yn smart yn 'u iwnifforms a petha fel hyn yn do'n nhw?

Edrych lot smartiach na ni, a dwi rioed wedi rhoid fy hun yn ddyn del . . . 'Pabell y cyfarfod' o'dd y *Seven Stars*, sef pỳb yng ngwaelod Warrington. Wedyn be oedden ni'n neud o'dd mynd yno i godi helynt a trio dwyn genod yr Iancs, wedyn o'dd hi'n mynd yn gythral o ffeit yn doedd. *Street fighter* arbennig o dda o'n i. O'n i wrth fy modd yno.

Ia, a ma' nhw'n sôn heddi am bobol ifanc yn creu helynt ag yn hwliganiaid a phethe fel hyn, ac ma' nhw'n dweud, tyt, tyt, tyt, fel ma'r byd wedi mynd yn wâth ac yn wâth. Fel'na o'dd hi yn ych dyddie chi Orig ondefe?

Ia, a'r peth gora 'san nhw'n medru neud i bobol heddiw 'ma yn fy nhyb i ydi dod â National Service yn ôl. Dach chi 'di gweld nhw – gwalltia mowr hir . . .

Odd gwallt hir gan Iesu Grist yn doedd yn ôl y darlunie sy' 'da ni ohono fe? Be sy'n bod ar wallt hir?

Dim byd yn matar ar wallt hir o gwbwl os 'dach chi isio gwallt hir, ond pan 'dach chi'n ifanc, disgybliaeth, torri'ch gwallt, a ddim modrwya yn eich trwyna chi a thrwy'ch tafod chi a thrwy llefydd erill odia'n byd!

O'ch chi wedi dechra bocsio felly yn y Llu Awyr?

Oeddwn, o'n i wrth fy modd hefo'r gamp, wrth 'y modd.

O'ch chi 'di ca'l pâr o fenyg cyn hynny?

Na, dim ond rhein ddo'th yr *airman* 'ma adra i 'Sbyty Ifan. Ond 'dach chi'n gwbod rŵan pan 'dach chi'n cyrradd y camp, oddan nhw'n gofyn ichi be oddach chi 'di neud ag o'dd y Saeson 'ma'n paldaruo clwydda. *'Anyone played football?' 'Yes I've played for the Arsenal, I've played for Spurs, I've played for Everton'* a hyn a'r llall, a finna, *'Who did you play for?' 'Llanrwst Town'*, me' finna. Pawb yn chwerthin am 'mhen i, ond o'n i'n well chwaraewr ffwtbol na nhw 'dach chi'n gweld, ond oddach chi'n gorfod dangos eich bod chi, a wedyn pâr o fenyg bocsio am eich dwylo chi, a wedyn helo, hwrê, dyma ni. Oddan nhw ar 'u tina' o 'mlaen i . . . Ydach chi 'di cael y teimlad rioed o roid peltan go iawn i rywun ar 'i drwyn?

Hen greadur creulon ych chi yn y bôn yndefe Orig?

Na, mae o'n deimlad da Beti. Mae o fel rhyw rwsut, 'dach chi'n gwbod. Teimlwch, cerwch chi allan ar y stryd a rhowch chi gelpan iawn i rywun ar 'i drwyn, fyddwch chi wrth eich bodd.

Chi'n meddwl 'ny?

Saff o fod.

Wi'm yn deall y peth, chi'n gweld, yr awydd yma i fwrw rhywun. Pam? a roi dolur iddo, 'i fwrw fe mâs ch'mbod.

Ia, fwrw fe mâs. Clec iddo fo ar 'i din.

Ie, ond r'ych chi'n achosi niwed i ymennydd eich gwrthwynebydd yn 'dych chi, drwy wneud hynny?

Dos gin i'm llawar o ymennydd fy hun, wedyn dydio'm yn effeithio dim arna' i wrth gael peltan yn ôl.

A ch'mbod, gweld y gwâd yn llifo . . .

'Na chi beth neis, 'na chi beth neis.

Ond dy'ch chi damed gwell nag anifeilied y'ch chi, neu ddau geiliog yn ymladd yn erbyn 'i gilydd?

Run fath yn union. Ma' isio dod ag ymladd ceiliogod a'i roid o ar y teledu.

A wedyn y pêl-droed. Ym mha safle o'ch chi'n chware Orig?

Ffwl bac o'n i.

O ife? A wedyn o'dd dim isie ichi fod yn ryw chimwth iawn felly os mai chware ffwl bac och chi, o'dd e?

Oedd, oedd isio bod, i ddal yr adeinwyr cyflym 'ma, o'dd raid ichi fod reit ystwyth. O'n i'n redwr da, ond faswn i 'di gneud chwaraewr rygbi gwell.

Sut un o'ch chi ar y cae pêl-droed? O'ch chi'n chware gêm lân ne' o'dd 'na fryntni yn eich chware chi?

Bryntni mawr. O'n i'n rhoid dychryn i fewn i galon pob gwrthwynebwr os medrwn i. 'Weli di heno 'ma, yn y C & A yn Bangor byddi di' – y C & A 'di'r hosbitol yn Bangor – 'Welith dy wraig di monach chdi heno 'ma'. Ag oeddan nhw 'run fath â gwningan mewn gola 'di dychryn am 'i bywyd.

Chi 'di dewis Bryn Terfel fel y'ch trydedd record chi?

Llanfihangel Bachellaeth. Ma' 'ne ryw ddistawrwydd arbennig yn y gân yma. Gwrandwch chi ar y geiria. Ma'n disgrifio distawrwydd a marwolaeth dawel i ddyn.

* * *

Pam reslo 'te Orig?

Ar ôl imi adael clybia pêl-droed ar ôl bod yn chwara'n broffesiynol, dodd gen i'm llawar o ddim byd i neud, ac mi o'dd reslo'n dechra bod yn boblogaidd ar y teledu. O'dd pobol fath â Jackie Parlough, Mick McManus, Billy Two Rivers, a'r rhain yn dod yn boblogaidd, a dyma fi'n deud wrtha' i'n hun, Helo, gen i gip ar y busnas yma, fedra' i neud bywoliaeth allan o hon. A dyma fi'n sgwennu at ddyn o'n i'n nabod a gofyn gawn ni fynd am dreial ato fo. A fo ro'th fi ar ben ffordd.

Oedd angen hyfforddiant arnoch chi wedyn, ne' oedd e'n dod yn naturiol i chi?

O na, o'dd angen hyfforddiant, a ddudodd y dyn wrtha' i ar ôl i mi neud rhyw un neu ddwy o fowtiau iddo fo, dyma fo'n deud, 'Y peth gora wnei di i ddysgu ydi mynd ar y bwths bocsio a reslo'. O'ne bwths yn mynd rownd y ffeiria yn yr hen ddyddia ac yn herio pobol; o'dd dyn yn sefyll ar y top ac yn cynnig decpunt i rywun fasa'n para tair rownd hefo hwn a hwn, a o'dd pobol yn meddwl o hyd 'na bocsio oedd y peth pwysig yn y bwths, ond erbyn yr adeg yma o'dd reslo 'di dod yn boblogaidd, achos o'dd pawb yn pentyrru i weld arwyr y sgrîn. Dodd 'ne ddim digon o reslo i gael, a bob amsar mi oedd y bwth bocsio wedi ei sefydlu yng nghanol y ffair rhwng y *Wall of death* a pabell y stripars . . .

Ond beth o'dd eich rhieni a phobol Ysbyty Ifan yn 'i feddwl o'r yrfa ma' o'ch chi 'di ddewis?

Wel, o'n nhw'n gwbod na dyn od o'n i, oddan nhw 'di gwbod yn iawn na faswn i byth yn gneud ffarmwr, a ma'n nhw'n deud yn 'Sbyty Ifan hyd y dydd heddiw 'ma 'Mi gychwynnon ni hwn yn iawn, wedyn aeth o ar goll'.

A wedi mynd ar goll yn fawr iawn pan ddaethoch chi â reslo menywod i Gymru Orig?

Wel ia. Yn America o'n i 'di gweld y peth. Ro'n i'n hyrwyddo hefyd erbyn hyn, o'n i'n meddwl, dyma beth eith i lawr yn dda ym Mhrydain Fowr, sef reslo merchad. O'dd o'n tynnu pobol yn ofnadwy 'dach chi'n gweld, a ges i hyd i ddwy hogan ddeniadol ifanc ddel, o'dd raid ichi gael genod del . . .

Ffaelu deall ydw i bod nhw'n fodlon gneud?

Ma' pobol, fel y gwyddoch chi, yn fodlon gneud pob peth am arian.

'Na beth o'dd e ife?

Pan ma' pobol wedi cael 'u cornelu mewn gan dlodi, mi wnân nhw rwbath i chi.

O'ch chi'n defnyddio'r merched 'ma wedyn i wneud arian?

I neud arian, a mi nes i doman reit dda ar y pryd, ond ma'r dyn *tax* 'di mynd â fo erbyn heddiw 'ma, y cwbwl lot, a dwi'n gardotyn yn ôl. Ond ar y pryd o'n i'n gneud arian

159

da, a be o'dd yn digwydd 'dach chi'n gwbod, pan fyddech chi'n heirio neuadd, lle ddudwn ni, y *Judges Hall* yn Tonypandy, posteri allan a llun dwy hogan ddeniadol arno fo, yn reslo a hyn a'r llall.

A'r lle dan 'i sang?

Fydda'r ticedi'n gwerthu allan mewn diwrnod yn ddi-ffael a mil o bobol i mewn yno. Wedyn fydda' 'na ryw ddynes ar y cownsil yn codi'i gwrychyn ac yn deud 'Ddylen ni ddim cael pethe mor anwaraidd â hyn', a fyddan nhw'n trio canslo'r peth. A fydde'r *Town Clerk* yn dod ar y ffôn efo fi a deud, 'Rhaid ichdi stopio roid hyn ymlaen. 'Sgin ti ddim hawl.' O'n i 'di talu am y neuadd ymlaen llaw 'dach chi'n gweld, a rŵan fy ateb i bob amsar oedd 'OK dden, tyd ti yno a deud ti wrth y mil o bobol y noson honno na dwyt ti ddim isio iddyn nhw roid y peth ymlaen.' Oedd o yn cachgïo ar un waith, ag o'dd y peth yn mynd yn 'i flaen, o nerth i nerth.

Beth am Orig y llenor nawr te, wedi ysgrifennu un cyfrol Cario'r Ddraig? *Gwerthu'n dda?*

Mi werthodd *Cario'r Ddraig* gyda'r gorau, dwi'n meddwl mai dim ond y Beibl yn yr iaith Gymraeg a werthodd yn well! Ma' hwnnw wedi cael lot mwy o amsar i werthu wrach. Ymhen amser y gwerthith *Cario'r Ddraig* . . .

A ofynnoch am y wisg wen hefyd, gyda'r orsedd?

Na, nes i'm gofyn, ond mi ges i 'nghynnig gan ddau wladgarwr cryf, cyhoeddus. Pobol adnabyddus, ac mi ges i 'ngwrthod yn fflat. Yn amlwg dydi'r rhein ddim yn derbyn pechaduriaid.

Y'ch chi'n credu felly bod 'na duedd i ni, Gymry Cymraeg felly, roi gormod o bwysau ar yr academaidd a'r diwylliannol, a'r bobol bwysig fel y'ch chi'n eu galw nhw, coleg ac eisteddfod, enw arall ydi'r 'bobol uchel ael' yndefe?

Felly yn hollol y ma'i. Dwi 'di cael y fraint o sgwennu colofn i'r *Cymro* bob wythnos, a dwi wrth 'y modd yn gwneud y golofn yma. A mi ddudodd Vaughan Hughes ar y radio, diolch yn fawr Vaughan, 'Dyma y sgwennwr gora yn yr iaith Gymraeg heddiw 'ma. Ma' hwn yn sgwennu ar gyfer y werin'. Pobol uchel ael fel oeddech chi'n deud, ma' rhein yn sgwennu mewn rhyw Gymraeg annealladwy. Dechreuwch chi ddarllan y llyfr ac ar ôl rhyw dair ne' bedair tudalen, 'dach chi 'di anghofio be o'dd gin y dyn i ddeud . . . Pwrpas llyfr ydi i neud o'n ddealladwy. A ma' pobol y Celfyddydau 'ma a phobol yr Eisteddfod, ma' nhw fatha Moses yn dod i lawr hefo'r Deg Gorchymyn o fynydd Sinai. Roedd Moses yn bwysig yr amsar honno, oedd y gyfraith gynno fo, yn cael 'i darlledu yn fyd-eang. Oedd hi'n iawn i Moses fod yn bwysig, ond ma'r rhain i gyd mor bwysig ag oedd Moses.

Ie ond ma'n rhaid ca'l pobol fel hyn hefyd yn does e?

I be? I be ma' nhw'n da?

O dewch nawr, ma' rhaid i bob cenedl gael 'i ysgolheigion a'i academyddion a phobl fel hyn does bosib, ac arweinwyr cenedl ac ati?

Oes 'dwch? Y peth gorau ddudodd neb amdana' i erioed oedd yr ysgrifenyddes, Molly Parkin. Mi ddudodd yn y *London Evening Standard* a'r *Harpers Bazaar*, *'This man has got the sexual confidence of a gipsy, the type of man you lock your daughters away from'*. O'dd hynny yn fwy o glod lawar i mi na derbyn coban wen yr Eisteddfod.

Y'ch chi'n dipyn o showman *hefyd Orig yn dych chi?*

Diolch i'r drefn Beti. Ond cofiwch chi, 'dach chitha hefyd yn dydach. Ma' gynnoch chi *sex appeal* 'does Beti, 'dach chi'n gwbod hynny hefyd . . .

Y'ch chi'n difaru am unrhyw beth y'ch chi 'di neud, neu ddim wedi neud . . .

Na dwi'm yn meddwl . . .

Y'ch chi'n ddyn hapus, y'ch chi wedi bod yn dad da, yn ŵr da?

Dwi 'di bod, dwi yn ŵr da, cystal â medra'i fod, a ma' gin i ferch, Tara Bethan, sy'n dda fel dawnswraig a ballu. Fuo hon yn y bum mlynedd gynta o'i hoes yn mynd rownd o le i le. Wyddoch chi'r gân Saesneg *Born in a wagon of a travelling show*. Odden ni'n mynd o le i le, o'n i'n mynd i'r cylch rŵan a Tara Bethan yn cael 'i gadal yn yr ystafell newid yn blentyn ar lin Giant Haystacks a King Kong Kirk. Dyna ichi gychwyniad i fywyd!

Ie, ond beth yw 'i barn hi nawr am y reslo 'ma?

O, wfft, wfft hollol. Ma' hi'n gallach dynas na'i thad o lawar.

Yn ni 'di dod at yn record ola ni Orig, ac y'ch chi wedi dewis Y Ddau Wladgarwr, *a Richard Rees a Dai Jones yn canu.*

Ma' Dai Jones yn denor arbennig o dda ac mi oedd o cyn iddo ddod yn adnabyddus fel mae o heddiw 'ma, a Richard Rees oedd y baswr gora' o'dd gynnon ni erioed.

Orig, dyna ni wedi dod i ben a chyrraedd diwedd y rhaglen heb i neb ein tynnu ni oddi ar y tonfeddi yma, am wn i. Diolch o galon i chi am eich cwmni.

Diolch i chi am y fraint o fod yma Beti.

* * *

'Cael Blas ar Fyw – dyna fy ngweddi'

Meima Morse

Gweinidog

Darlledwyd: 29 Tachwedd, 2001

Cerddoriaeth:
1. *Violin Concerto:* Max Bruch
2. *Marie yn siarad ar Penigamp:* Marie James
3. *Blodwen a Mary:* Ieuan Rhys
4. *Pantyfedwen:* Côr Caerdydd

Beti George:
Croeso cynnes i chi Meima . . . Neu Jemeima wrth gwrs.

Meima Morse:
Ie, wi'n fwy parod i dderbyn yr enw Jemeima na o'n i. Fe fuo 'da fi gas glywed yr enw . . .

Yn yr ysgol?

Wel, yr athrawon . . . oddet ti'n fwy cyfarwydd â'r enw pan o'n i'n mynd fwy a mwy i ysbytai i gael triniaethe, ac wrth gwrs o'n nhw'n cael yr enw Jemeima Rhiannon, a fe ddois i ddechre cymryd at yr enw Jemeima erbyn hynny. O'n i'n ddeugen erbyn bo' fi'n dechre cyfarwyddo â'r enw, achos o'dd plant yn yr ysgol uwchradd yn gweud *'Oh Jemeima, look at your Uncle Jim'*, a pethach fel'a. Neu *Jemeimah Puddleduck* ddo'th ar ôl 'ny . . .

A wedyn wrth gwrs, eich mam – Marie. I bawb ohonon ni Mari o'dd hi wrth gwrs, Mari James [Llangeitho] yntefe?

Ie, ie. Weles i rioed y Marie, thynnodd hi ddim o'r sylw ato fe, ond pan o'dd hi'n cymryd rhan ar [raglen radio] *Penigamp*, o'dd Dic [Jones] a Tudfor [Jones] yn neud 'bach o hwyl ac yn 'i galw hi'n Marie. Ond mewn teyrnged iddi wedyn toc ar ôl iddi farw o'dd Dic yn gweud, gan 'i bod hi mor saff yn 'i daliade ac mor ddiffuant, welodd hi erioed yr angen i newid 'i henw. A wn i ddim shwd ga'th hi 'i galw, achos ro'dd fy Nhad-cu a Mam-gu yn bobol digon dysgedig. P'un a o'dd 'na bach o ramant yn perthyn i Mam-gu, y Jemeima ges i'n enwi ar 'i hôl hi, a falle bod hi wedi darllen . . . o'dd hi yn darllen tipyn o Saesneg,

165

o'dd hi a 'Nhat-cu yn mynd nôl i amser y *Welsh Not*. Felly Saesneg o'dd hoff iaith darllen Mam-gu hyd y diwedd. Ac yn darllen digon o storis caru, ond Dat-cu yn wahanol.

Mae'n rhyfedd o'n dyw e, meddwl amdanyn nhw . . .

O odi, y'n ni'n gallu 'mystyn nôl nawr; fe fydde Dat-cu yn gant a thair ar ddeg oed ddoe, sydd yn gneud ni . . . wel rhaid 'mod i'n mynd yn hŷn hefyd.

Ry'ch chi yn treulio tipyn o'ch amser, yn dal i neud, yn Llangeitho, ond wrth gwrs eich cartre chi am wn i erbyn hyn ydi Ton-teg, ond falle'ch bod chi'n edrych arno fe fel Llangeitho?

Odi, a ry'n ni wedi magu'n plant i deimlo bod Llangeitho a Thon-teg yn gartre iddyn nhw. Ma' gyda ni ddyletswydd, ry'n ni ni'n teimlo wedyn, cadw cartre, neu le neu loches i'r ddwy set o blant. Ma' gyda ni gyfrifoldebe cymdeithasol yn Nhon-teg o hyd, a ry'n ni'n edrych ar ôl yr ŵyres yn Llangeitho. A nawr rw'i wedi cael fy nerbyn i baratoi am waith yn yr ardal wledig o dan y Coleg Diwinyddol.

Y'ch chi'n mynd i fynd yn weinidog?

Yn weinidog rhan amser, a ry'ch chi'n dechre hela fi fewn i ddyfnderoedd pan y'ch chi'n gweud am hwnna, ma'i wedi cymryd blwyddyn i fi gael fy nerbyn fel gweinidog rhan amser.

Problem o'ch safbwynt chi neu broblem o safbwynt cael eich derbyn fel gweinidog?

Dodd dim anhawster o ran y Coleg Diwinyddol i 'nerbyn i mewn i'r cwrs . . .

Coleg Diwinyddol Aberystwyth?

Aberystwyth, ie, a Llambed erbyn hyn. A dyma'r unig ffordd i'r dyfodol yn fy marn i. Gwaith maes yw gwaith yr eglwys bellach.

Wrth gwrs, mwy o weithwyr cymdeithasol . . .

Yn bendant, a dyna beth wy' wedi cael 'y nhrwytho ynddo fel athrawes ysgol a fel pennaeth yn adeiladu cymdeithas yn y deg mlwyddyn gynta yn Ysgol y Bronllwyn yn y Rhondda. A felly, ma' oes y pregethu drosodd . . . ond mae 'na reole dan yr Henaduriaeth sy'n mynnu bo' chi'n llanw gwasnaethe, fel gweinidog rhan amser, trigain o weithie'r flwyddyn. Wel alla' i byth â chefnogi Ysgol Sul yn Llangeithio neu Llwynpiod neu glwb neu ddosbarth sol-ffa, neu unrhyw beth ysbrydol ar ddydd Sul, a bod yn pregethu yn Sir Aberteifi.

Hynny yw, mae 'na ofyn arnoch chi o dan y rheole 'ma i fynd o gwmpas i bregethu?

Mae eisie ailddiffinio ystyr y gair gweinidog. Ges i whech cyfweliad, mae wedi hala blwyddyn i fi gael fy nerbyn i mewn i hwn.

O'n i'n meddwl bod nhw'n brin o weinidogion?

Wel, fyddan nhw'n brinach fel ma' nhw, ond ta beth . . .

O'n i'n teimlo bod nhw 'bach yn llym yn y cyfweliad ges i ar y cyntaf o Hydref yn y Coleg Diwinyddol, ag o'dd hwn i gael fy nerbyn mewn i'r coleg. Ond fel gofynnodd gweinidog i fi, wedodd e, 'Yr hyn y'ch chi'n ddisgrifio i fi – digon teg – o'dd eich mam yn 'i neud heb fod yn weinidog'. Fy nadl i ydi, yn y byd ag yn yr oes fel ag y ma' hi, rydw i eisie helpu pobol, tynnu cymuned fel cymuned Llangeitho at 'i gilydd, a bod â'r hawl a'r label i siarad â phlentyn pan bod gofid. Os oes 'da fi'r label i fod yn weinidog, falle bod 'da fi hawl i ddweud 'Gwed wrth Mam am ddod i siarad 'da fi'. Achos dyma'r math o waith wy'i wedi neud.

Wrth gwrs. Pan wi'n clywed chi'n siarad fel hyn ontefe, s'dim rhyfedd gen i fod capeli'n wag.

Mae 'na reswm arall, lle bod chi'n cael fi miwn i ddŵr dwfwn! Hynny yw, ma'r mewnlifiad ffyrnig sy' wedi digwydd yng nghefen gwlad, ma' fe wedi mynd â'r aelodath o'r capeli, ond y cam nesaf nawr ydi cael gwared ar y rhwyg, a thynnu'r Cymry a'r Saeson at 'i gilydd, a gneud i bobol i sylweddoli ma' un gymdeithas yw hi, er mwyn y plant. Yn 'y nisgrifiad swydd i, fi wedi creu'n hunan . . .

A ma' nhw wedi derbyn o'r diwedd?

Ma' nhw wedi derbyn . . . ond rydw i eisie dechre ar y gwaith. Wi'n mynd miwn i Ysgol Llangeitho a wi'n mynd miwn i Ysgol Tregaron. Dod i nabod y plant. Bydden i'n hoffi creu clwbie canol dydd, ar ôl ysgol, fel 'mod i a'r plant yn gallu cynnig gwasnaethe fel 'Corlan y plant' yn

Llwynpiod, yn Llangeitho, fwy neu lai, cadw'r lleoliad mor agos ag sy'n bosibl er mwyn 'i gryfhau e.

Max Bruch y'ch chi 'di ddewis fel eich record gyntaf, y Concerto *i'r Feiolin. Pan y'ch chi 'di dewis hon nawr te?*

Wel fe gwrddodd Howard fy ngŵr a finne mewn coleg cerdd yn Llundain, a un o ffefrynne Howard ar y pryd o'dd y gwaith yma gyda Max Bruch, a ma' fe yn hyfryd. Ond o'dd Howard a fi wedyn yn sgrifennu llythyron caru i'n gilydd mewn rhigyme, ac o'n i'n mwynhau creu hyn . . .

Odd yr iaith yn . . .

Yn Saesneg. Ma' Howard wedi dysgu Cymraeg . . .

Achos un o'r Rhondda yw e wrth gwrs.

Ie, ie. O'dd dag e 'im lot o ddewis i gael. A wedyn a'th hi'n 'bach yn ffradach fan'na, a wi'n cofio ysgrifennu ato fe'n gweud bo' fi'n gwrando ar ein record ni, ag yn mwynhau gwrando ag yn meddwl amdano fe . . . Ry'n ni'n dal i hoffi'r gerddorieth, ond dyw Howard ddim wedi gadel i fi anghofio'r achlysur.

* * *

I fynd nôl i'r dechre, a ffarm Talryn ryw filltir o Llangeitho.

Dwy filltir a thri chwarter yw e . . . O'n i'n arfer 'i cherdded 'i ar nos Wener, ar ôl i Mami a Dadi ddod i setlo yn Llangeitho. O'n i'n arfer dod miwn nos Wener, 'Reit te fi'n mynd gartre nawr', a fydden i'n cerdded lan i Talryn gyda chriw o blant. Ag enw'n tŷ ni yn Nhon-teg yw Talryn. O'dd hi'n ffarm o ryw hanner can cyfer – bywoliaeth digon teg. Fe welon nhw Mam trw goleg, a'i brawd Daniel. Do'dd y brawd arall Tom ddim ag awydd mynd i goleg. Do'dd Tom o'r dechre ddim yn hoffi'r ysgol, a ma' honno'n stori ar ben 'i hunan. O'dd Mam bron yn saith oed, o fewn cwarter blwyddyn i fod yn saith, yn dechre'r ysgol yng Nghastell Fflemish, achos o'dd hi'n aros i Tom, o'dd Tom wedyn yn bump oed ddim ise mynd i'r ysgol, roedd e'n mwynhau'r ffarm, mwynhau fel o'n inne hefyd yn neud. Ond y diwrnod cynta, yr wythnos gynta, o'n nhw'n mynd i'r ysgol, Mam a Idris Tŷ Nant yn cydio bob ochor i Tom yn 'i ddwylo fe, a Mam-gu y tu ôl iddo fe â pastwn, a Dat-cu tu blân rhag ofan ddihange fe a mynd trw rhyw gât. A Dat-cu wedyn yn gorfod treulio'r bore – ma' hwn yn berffeth wir – yn Castell Fflemish i neud yn siŵr bod e'n aros yn yr ysgol.

Ges i 'ngeni yn Nhalryn yn unig blentyn, fel troiodd hi mas, ond o'n i ddim yn blentyn unig.

Na, a'ch mam yn ifanc iawn, yn un ar hugen . . .

Un ar hugen o'dd Mam a Dadi wedi mynd i'r rhyfel yn bedair ar hugen.

Odd e 'di'ch gweld chi cyn gadel?

Wi'n credu bod e wedi cael rwbeth o'n nhw'n galw yn *compassionate leave*, wi'n cofio fe'n gweud rhwbeth, achos fe fuodd Mam yn wael iawn pan ges i 'ngeni. O'dd Mam-

gu, o'dd yn gallu tynnu pob diferyn allan o unrhyw
ddrama, o'dd 'i'n gweud, 'T'wel fuodd dy fam yn wael
iawn, Doctor Birchill, Doctor Worthington a Doctor Alun
gyda hi am dri diwrnod, a ti'n gwbod o'dd hi'n gweud y
marc, y marcyn geni 'na sy' 'da ti ar dy wmed.' Chi'n
ffaelu weld e Beti, odych chi?

Wel, wi yn gallu weld e nawr bo' chi 'di bwyntio fe mas i fi.

Odi, ma' fe fel map Cymru . . . A mynte Mam-gu, 'Ti'n
gweld y marc 'na sy' 'da ti ar dy wmed, wel o'dd e dros
dy wmed di'. Wel o'dd hwnna ddim yn bosib ch'wel, ond
o'n i'n blentyn mowr, a mwy na thebyg bo' fi'n goch iawn.
'A fe dwlon nhw di naill ochor, t'weld – meddwl bod
rhwbeth yn bod arnot ti.' A fydde llawer yn gweud bod
nhw 'di gweud y gwir . . .

*Rodd hyn i gyd wrth gwrs, â'ch tad bant yn y rhyfel. Felly o'ch
chi ddim yn nabod e o gwbwl?*

O'n i ddim yn nabod Dadi, nag o'n. Dwi'n cofio fe'n dod
nôl yn *khaki* i gyd a lot o bensilie 'dag e. Ac ar wahân i
weld Dadi mewn *khaki* o'dd 'da fi ddim ymwybyddieth
fowr fod 'na ryfel i gael. O'n nhw'n tynnu'r llenni duon
'ma lawr yn y nos, a wedyn bob yn hyn a hyn bydde
awyren ambell waith yn mynd drosto a fydde Mam-gu yn
gweud 'Cer mas, dy Wncwl Islwyn yw honna'. A fydden
i'n mynd mas a codi llaw arno fe. Achos o'dd Wncwl
Islwyn – ma' fe'n dal i fod yn fyw – o'dd e'n beilot yn y
rhyfel.

Pryd symudoch chi o Dalryn fel teulu bach?

Symudodd fy nhad a mam a finne, o'n ni'n gwbod bod Dadi yn dod at y *de-mob*, ac wedodd Mam bod hi wedi ffindo Swyddfa Bost yn Llangeitho gyda dwy neu dair stafell, a fel o'dd Dadi'n gweud wedyn, ei ymateb cynta fe odd, 'O, y twll 'na'. Achos 'i brofiad cynta fe o'r lle o'dd y lori 'ma â phwnne yn ffili gneud y rhiw yn Llangeitho. Ma' llawer i hanes i rhiw Llangeitho – mae'n serth mewn manne, ffili mynd lan y ffordd iawn a gorffod mynd wysg 'i ben ôl . . . Wel 'dath e i Langeitho wedyn yn un naw pedwar whech, fuodd e'n gyrru i Tyssul Ebenezer am flwyddyn a wedyn dechreuodd e gwmni bysus 'i hunan.

Do fe brynodd e ddou, neu ddwy fws ddylen i weud, achos, beth o'dd 'u henwe nhw?

Gwenno a Martha o'dd rheina, gyda ugien o seddi, a wedyn yr Utility, o'dd lle i dri deg dau eistedd; brynodd e nhw oddi wrth Williams Llys y Wawr. A wedyn fe gynyddodd y fusnes hyd nes yr wythdege cynnar i fod yn un deg chwech o fysiau gyda gyrwyr a phob un â gwaith iddyn nhw gyda chytundebe ysgol, ond yn bwysicach, llawn mor bwysig i 'Nhad o'dd bod pob gyrrwr â'i fŷs ac fe fydde enw 'da phob gyrrwr i'w fŷs a chyfrifoldeb y gyrrwr 'na fydde glanhau'r bŷs allan ar ddiwedd pob dydd. A pan ddaeth e lawr i Ton-teg a gweld rhai o'r cwmnïoedd fan hyn a'r baw o'dd ar y ffenestri, gymrodd e beth amser i ddod drosto.

Odd eich mam yn dreifio bysus o gwbl?

'Phasiodd Mam, fwy na fi, ddim *test* car eriôd . . .

'Naethoch chi ddim pasio?

Na; ffaelais i fe a thriodd Mam ddim o'no fe, amsar rhyfel ch'wel, ond o'dd hi'n cael gyrru on'd o'dd hi. A wedyn pan es i i drio yn 1957 a ffaeles i fe, ddim wedi cael dim un cyfarwyddyd o gwbwl, dim ond gyrru gyda Dat-cu. Ond ceffyle o'dd Dat-cu yn gyfarwydd â nhw. O'n i'n mynd â Dat-cu i bregethu ar y Sul ac yn gofyn iddo fe, 'Shwt y'ch chi Dat-cu yn gwbod nawr te pryd ma' newid gêr?' 'O paid a becso, fydd y car yn gweud 'tho ti!' Wel, chlywais i ddim un car yn gweud 'tho chi pryd i newid gêr! A wedyn pan o'n i'n dechre'n Ysgol Penuwch, dyma Mam yn ffono fan'ny – na do'dd dim ffôn yn Ysgol Penuwch – halodd hi rywun fyny i 'weud am i fi ddod gartre'n gynnar, bod Mr Scott yr Arolygwr Bysiau yn mynd i roi prawf gyrru bws bach i fi. Wel o'n i ddim 'di yrru fe o'r blân. Ond o'dd un fantais, os o'ch chi'n cael prawf gyrru i gwmni, o'dd un o'r gyrwyr i fod i ddod 'da chi. Felly da'th Mam gyda fi, o'dd hi'n cael iste mewn. Tra o'n i'n cael rifyrso bydde fe tu fas a fydde Mam tu fewn yn gweud 'Tro i'r chwith bach, tro i'r chwith, nawr stretna fe nawr'. A wedyn fe basies. Ro'n i'n cael lot o sbort gyda Mam a Dadi, ro'n nhw'n deall 'i gilydd. Chlywes i rioed fy rhieni'n gweiddi ar 'i gilydd, ond o'dd hi'n ddadl ddwys os o'n nhw'n siarad yn dawel iawn.

'Na'r ffordd o'n nhw'n neud . . .

Ie, na'u ffordd nhw. Ond fe fydden i wedyn, ar ôl dod lawr i Langeitho, yn galw nhw'n Mari a Dai, a bobol yn

173

gweud, 'Chi'm yn galw Mari ar eich mam?' Wel do'dd hwnna rioed wedi croesi'n meddwl i, i bidio galw Mari ar Mam . . .

Felly beth am glywed eich mam nawr, ar y rhaglen Penigamp, jest i'n atgoffa ni . . .

Mari James ar Penigamp:

Holwr:
Y dasg: gwneud stori fydd yn dechrau â'r frawddeg 'Gorau dawn, dawn dysg, medde Ned Tŷ Pella wrth ymladd i dynnu 'i socsen chwith,' ac yn gorffen â'r frawddeg 'Mae'r amser yn llusgo heddi, medde Meri Cêt wrth ferwi'r cloc larwm yn y sosban foch.'

Mari James:
'Gorau dawn, dawn dysg' medde Ned Tŷ Pella wrth ymladd i dynnu 'i socsen whith. 'Be wedest ti? medde Meri Cêt y wraig. 'Yr hyn a ddywedwyd a ddywedwyd' medde Ned. 'Ac yn lle holi cwestiyne tynna'n socsen i bant wnei di. Ma'r hen slip disc yn whare mwrdwr â fi heno 'to.' Fe roddodd Meri Cêt y fath blwc i'r socsen fel y sgrechodd Ned gan y boen. Ac fe dda'th pobol y stryd mas i gyd yn credu bod y *Fire Brigade* yn pasio. Nosweth o haf o'dd 'i a bob ffenest led y pen ar agor i ollwng yr aer poeth allan a'r aer oer i mewn, a mas gyda'r aer poeth yr aeth sgrechfeydd Ned. Chysgodd e fawr trw'r nos; ro'dd y plwc roddodd Meri Cêt i'r socsen wedi hala'r slip disc i symud ddwywaith, nôl i'w lle a mas wedyn. Ro'dd Meri Cêt wedi rhoi'r larwm i fynd yn fore achos o'dd hi isie

crasu bara. Ond fe gododd ymhell cyn pryd, yn credu bod hi'n clywed y larwm yn canu, ond beth o'dd y sŵn ond sŵn disc Ned yn slipo ar ôl iddi hi roi eitha ergyd yn 'i gefen wrth freuddwydo ei bod hi'n dawnsio gyda'r Shah of Persia. Ganol y bore dyma Meri Cêt yn penderfynu dial ar y cloc larwm druan. 'Ma'r amser yn llusgo heddi,' medde Meri Cêt wrth ferwi'r cloc yn y sosban fach, sosban foch.

Dyna fe, llais Mari James. Chi'n swno'n debyg iawn iddi, Meima.

Wi'n cofio, fe fydde hi'n rhoi fe ar bapur, pethach o'dd yn digwydd yn y tŷ, o'dd 'na wncwl i fi a'i wraig yn dod o Lunden i tŷ ni yn y saithdege, ag o'dd e'n ŵr bonheddig. Ond, fydden ni'n iste wrth y bwrdd bwyd yn y gegin, o'dd e'n byta'n gyflym ofnadw ac yn sydyn reit, fydde fe'n codi i fyny a throi'r tap arno, a tynnu'i ddannedd mas a'u rhoi nhw o dan y tap i swilo nhw. A tynnu'r set waelod wedyn a cario mlân i siarad. O'n i'n gamstars, fydde Ann o'dd yn helpu ni yn y tŷ – fuodd hi 'na am bum mlynedd ar hugen, Ann, un o'n ffrindie gore i nawr – fydde Ann yn sydyn reit yn gweud pan fydda' hi'n gweld Wncwl Dafydd yn codi, fydde Ann yn gweud 'Ma' rywun yn siop'. Ond fe fydden ni yn 'i sefyll 'i mas, a 'na'r unig beth, wi'n cofio gyda mam, o'dd neb yn wherthin, a fydden ni'n trio herio'n gilydd i neud y sefyllfa'n fwy doniol.

Wel nawr fe aethoch i Goleg Hyfforddi Abertawe, wedyn fuoch chi'n dysgu, a cwrdd â Howard, priodi, mynd i Loegr i weithio. O'dd hwnna'n sioc i'r system?

175

O, sioc i'r system. Edrych 'nôl, o'n i'n anhapus, er bod ni'n hapus bod ni'n briod ac yn y blaen.

Ymhle o'ch chi gyda llaw?

Yn Albrighton, a diolch bo' fi yn ymyl ysbyty yn fan'ny, yr ysbyty RAF, Cosford. Oherwydd yn fan'ny fe ddarganfyddon nhw bod rhywbeth yn bod ar 'y nghalon i, ac o'n i'n diodde o fethu gweld. Er bo' fi'n rhedeg a whare hoci, pan o'n i'n rhedeg ar yr asgell fe fydden i yn sydyn reit ddim yn gweld ac yn stopo, oherwydd o'n i'n ca'l tyndra yn y frest ag yn methu anadlu ac yn methu gweld, a wedyn unweth bydde hwnnw'n dod drosodd ro'n i'n credu bod calon gref 'da fi, ond bod hi'n galon ryfedd.

A wedyn wrth gwrs fe gaethoch chi blentyn yn do, Dafydd . . .

Dafydd, y cyntaf anedig . . .

. . . a wedyn fe ddaeth Elin ontefe?

. . . do, gorffon ni gael caniatâd gyda rhywun yn Harley Street i gael Elin!

A wedyn fe wedon nhw wrthoch chi, os gewch chi un arall, fydd hi ar ben arnoch chi, fyddech chi'n marw.

Wel na, wedon nhw ddim mo hynny, ond falle bydde fe'n beryglus.

Ond fe gaethoch chi un?

Do, gaethon ni Tomos, a wi wedi pasio yr anhwylder y galon 'mlaen i Tomos, o'dd dag e 'bach o anhwylder ar y dechre, ond ma' fe'n olreit nawr.

Ond wedyn, am ryw chwe blynedd o'ch chi mewn a mas o ysbyty . . .

Ar ôl i fi droi'n ddeugen fe weles i feddyg sy'n rhoi'i galon ac yn rhoi'i enaid yn 'i waith, Dr Rhydian Dawdle, yn Ysbyty Dwyrain Morgannwg. Fe welodd e'n nodiade i a gofynnodd e i'r arbenigwr o'dd gyda fi a alle fe gymryd drosodd, fod dag e ddiddordeb mowr. A fe withodd e'n galed iawn iawn iawn, achos o'dd bobol falle'n credu bo' fi 'bach yn niwrotig, a galla' i fod yn ddiolchgar am byth i fobol fel Dr Dawdle a Dr Mike Stephens yng Nghaerdydd. Fues i yn Barts a cael ryw drinieth newydd yn fan'ny, lle o'n nhw'n stopo pen ucha'r galon a rhoi *pacemaker*. Byddai Tomos yn arfer cerdded gyda fi yn Barts yn cario'r *pacemaker* yn 'i law . . . Naw oed o'dd e.

Ond felly, oes pacemaker *'da chi'n awr?*

Nag os. O'dd honna'n driniaeth anghywir, ond fe ddigwyddodd rwbeth a fe ges i ddod nôl a bod yn wael yn ysbyty'r Waun wedyn. Chi'mbod, beth yw gwaeledd, chi'n agor ych llyged yn y bore a chi ddim isie agor nhw. Chi'm isie meddwl am y cyfrifoldeb o'r cam nesaf. Chi'n ffaelu. Os dim nerth 'da chi i siarad. Er bod y meddyg, Dr Stephens, wedi gweud 'tho Howard falle ma' wthnos fydde 'da fi i fyw, er bo' fi 'di glywed e'n gweud e . . . ma' 'na rwbeth ynoch chi wedyn yn gweud, reit wi yn mynd i ddod trw hyn. Ond dod gyda help proffesiynol y'ch hi'n neud ontefe?

Felly be sy' mor rhyfedd yn eich calon chi dwedwch?

Wel gyda fi, ma'r tyfiant . . . weles i'r llythyr, ma' fe'n seis pêl griced, tu ôl y galon, yn sownd wrth y galon tu ôl iddo fe. Ma' fe'n swno'n ddrwg, pobol yn gweud tiwmor, ond erbyn hyn wi dan dabledi a wi lawr i'r lleiafrif o dabledi, ma'r galon wedi gwitho'i ffordd 'i hunan rownd y broblem. Dwi'n meddwl bod hi'n siâp gwahanol, wi'n credu bod 'i llun 'i mewn rhyw gylchgrone Ewropeaidd ac yn y bla'n, ond wi'm yn siŵr p'un â af i â hon i'r bedd 'da fi, neu rodda i hi i rywun i edrych arni 'ddi! Oherwydd yn y pymtheg mlynedd ola' – a wi'n teimlo'n ddiolchgar i'r meddygon sy' wedi rhoi amseroedd rhyfedd i neud yn siŵr bo' fi'n dal i fod yn fyw. Yn y pymtheg mlynedd ola hyd heddi wi wedi bod iacha'.

Nawr wi'n sylwi ma'ch diddordebe chi ydi darllen, teithio, aros mewn carafan a chymryd rhan mewn dramâu teuluol.

Dwi ddim yn teithio, os nad y'ch chi'n meddwl teithio nôl a mla'n i Langeitho, sy' ryw gan milltir, ta jest cerdded rownd gwaelod yr ardd a rhoi dillad mas . . .

Wrth gwrs chi'n dod nôl i Don-teg bob penwythnos ond y'ch chi?

Wel ma' hwnna 'di mynd nôl ers dechre'r nawdege . . . o'n i'n dod lan bob penwthnos. O'dd Mam wedi dechre mynd yn sâl 'ramser hynny ag o'dd e'r cam naturiol, oherwydd ni o'dd y triongl, Mam a Nhad a finne, bo' fi'n mynd lan, o'dd e'n bleser ac yn fraint ac yn naturiol.

Ond beth am y dramâu teuluol yma? Ych chi'n mynd o gwmpas y wlad i berfformio?

Ers rhyw beder pum mlynedd . . . rhan amla' ry'n ni'n pump ynddi. Howard ddechreuodd e, am y ddwy chwaer 'ma, Blodwen a Mary yn byw ar dop Mynydd Tregaron a aethon nhw lawr i JB ne' alla' i ddweud BJ yn Llanbed, ac fe gwrddon nhw â'r dyn Mordecai a Mr Jones. Rhan fwyaf o'r amser Dafydd ni yw Mr Jones a Mordecai yw Howard, a gan bod Howard ddim yn hyderus iawn yn y Gymraeg, yn y sgript gyntaf fe nath e'n siŵr bo' Mordecai yn gweud dim. A dyw e ddim wedi gweud dim yn y pum mlynedd diwethaf.

Ai dyna pam nawr y'ch chi 'di dewis y record felly, Blodwen a Mary?

Ie, oherwydd, ar wahân i'r ffaith bo' fi'n hoffi Ieuan Rhys yn canu, wrth y gân hyn gaethon ni'r enwe Blodwen a Mary.

* * *

Wel nawr te Meima, i ddod nôl at eich penderfyniad i fynd – wi'n dal i weud e – yn weinidog . . .

Dyna beth yw'r disgrifiad.

Felly fe fyddwch chi'n Barchedig?

Wi'm 'di meddwl mor bell â hynna; byddan nhw'n siŵr o 'ngalw i'n rwbeth. Wi'm yn siŵr beth fyddan nhw'n galw fi.

A felly mynd nôl wedyn 'te i fyw . . . ?

Byw rhan fwyaf o'r amser yn Llangeitho wrth gwrs.

Ac eglwys 'da chi wedyn?

Dwi'm yn siŵr, ai bwydo a chefnogi y gweinidogion llawn amser bydden ni'n neud. Fel'na fydden i'n hoffi meddwl amdano fe.

Ma' dyn yn meddwl am y capel wrth gwrs fel canolfan . . . canolbwynt . . .

Gobitho y bydd e'n para i fod yn ganolbwynt, neu'n ganolfan lle bydd bobol yn meddwl, yn gwbod gallan nhw droi mewn iddo fe, falle fydden i'n gwitho mwy yn y festri, ond yn rhoi cyfarfodydd i blant neu bobol ifanc yn ystod y mis.

Ma' hyn yn syniad cwbl newydd.

Syniad newydd i'r bobol sy'n rheoli'r capeli falle. O'n i'n edrych heddi, wi'n edrych ar myfyrdod y dydd bob diwrnod yn y *Western Mail*, o'dd e'n dweud 'Y mae'n rhaid i Fab y Dyn ddioddef llawer a chael ei wrthod gan yr henuriaid a'r prifoffeiriaid a'r ysgrifenyddion'.

Ond wrth gwrs, mae'r iaith ymhlyg yn hyn i gyd on'd yw e?

Ma'r iaith, ydi, wi'n cadw hwnna mewn cof, wrth gwrs 'i fod e. W'i yn ame fod 'na bobol yn symud mewn i Gymru nag y'n nhw ddim yn sylweddoli bod 'na iaith Gymraeg . . . A falle bod ambell un ddim yn becso rhyw lawer, ond wedyn ma' nhw'n galler troi 'chydig yn gas hefyd ag yn gwrthod bod plant yn cymryd rhan mewn cyngherdde ac yn y blaen am ryw reswm ne'i gilydd. Ma' 'na hwnna 'i gael. Odi, felly ma' isie uno. Ma' cymdeithas cefen gwlad wedi cael 'u llorio yn y ffordd yna, ond fel o'n i'n darllen pa ddiwrnod, dim cwmpo i lawr yw'r gwendid, dim cwmpo lawr yn nagefe, ond sefyll ar lawr.

Pan y'ch chi'n sôn am gwmpo i lawr a sefyll i lawr mae'n mynd i fod yn ofnadw o anodd i godi nôl ydi e ddim?

Wrth gwrs bod na brobleme yn mynd i fod, ag ma'r Rhondda, sy'n aileni yn y Cymreictod yn wahanol iawn i gefen gwlad. Ond mae'n bwysig bod ni, y Cymry Cymraeg, yn lle bod ni'n cerdded rownd y Saeson, yn cymryd y sefyllfa yn ein dwylo a dweud 'Y'ch chi gyda ni, croeso i chi, ond dilynwch chi'n patrwm ni'.

Felly eich record ola chi. Chi 'di dewis Pantyfedwen. Pam nawr te?

O, 'Tydi a roddaist imi flas ar fyw'. Dyna 'ngweddi ar ddiwedd y dydd, bo' fi'n cael blas ar fyw.

181

Somaliaid y Dociau:
'Mae'n cymuned ni yma
ers canrif a hanner'

Ali Yassine

Actor, darlledwr

Darlledwyd: 29 Ebrill, 1993

Cerddoriaeth:
1. *La Cologiala:* Rodolfo Y Su Tipica
2. *Crazy Balhead:* Bob Marley and the Wailers
3. *Can Truss It:* Public Enemy
4. *Take it to the Street:* The Re Birth Brass Band

Beti George:

Mae 'i wreiddie fe'n ddwfwn yn yr Aifft a Somalia. Daeth 'i dat-cu i Lerpwl am gyfnod ac yna ymgartrefodd 'i dad a'i fam yn ardal y dociau, Caerdydd yn y pumdegau, ac ma'n nhw'n ystyried 'u hunen erbyn hyn yn Gymry. A gan 'i fod e'n meddwl nad oes hawl gan berson i alw'i hunan yn Gymro neu'n Gymraes heb allu siarad yr iaith, fe aeth y mab ati i ddysgu Cymraeg. Cyflwynydd Ali ap Rap ar Radio Cymru, a'i enw yw Ali Yassine.

Beth am yr enw Yassine, ma' wedyn 'de?

Ali Yassine:

Dwi'n siŵr bod o'n eitha cyffredin yn Somalia. Tua mis yn ôl welis i raglen ar y teledu, ryw grŵp o ddynion Saesneg yn Somalia yn helpu i gael gwared o'r bomiau a'r *mines* yn y cefn gwlad, a fel ro'n nhw'n mynd trwy restr o enwau ddeudodd un ohonyn nhw Muhammed Yassine . . . Mae'n swnio fel enw eitha cyffredin yna yn Somalia.

Fel Jones ffordd hyn.

Eitha tebyg. Dwi erioed wedi bod i Somalia, ond licen 'i wbod.

Y'ch chi wedi bod yn yr Aifft o gwbwl?

Do, es i tra o'n i'n ifanc iawn i'r Aifft, am dri mis, oeddwn i'n meddwl bod ni'n mynd i'r famwlad i ryw raddau, ac ar ôl cyrraedd yr Aifft a gweld y sefyllfa yna ro'dd hi'n od i weld bod o mor wahanol i Gymru.

Ie, hollol. Mae e bownd o fod yn wahanol i Gymru, ond oedd e ddim yn teimlo'n debyg i famwlad chwaith?

Ddim *really*. Mae'n od iawn i bawb dwi'n meddwl sy' wedi ymsefydlu mewn gwlad arall. Sdim ots lle ti'n dod yn wreiddiol ma' pawb yn gweld gwahanol liw, a meddwl 'reit wel ti ddim yn dod o'r wlad yma yn wreiddiol'. A fel 'na oedd hi yn yr Aifft. O'n i'n ca'l plant yn dod ata' i yn galw ni'n *Inglisi*, sy'n od iawn, a dyna pryd wnes i sylweddoli mai Cymru yw 'ngwlad i.

A wedyn yn Somalia ma'ch gwreiddie chi, a'ch dou dat-cu wedi cerdded o Somalia i'r Aifft?

Ia, roedd Somalia'n wlad dlawd iawn. Oedd lot ohonyn nhw'n ffermwyr, a gan bod y gwledydd erill o gwmpas Somalia yn Foslemaidd, y cwbl o'dd angen 'i wneud oedd profi bod ti'n Foslem. A'r unig ffordd i wneud hwnna oedd gweddïo. A dyna oeddan nhw'n neud ar y ffordd – jest yn profi bod nhw'n Foslemiaid, a wedyn roedd Moslemiaid yn bwydo nhw ag yn helpu nhw allan, a wedyn yn anfon nhw ymlaen.

Ie, dwy fil o filltiroedd?

Dwy fil o filltiroedd sy'n dipyn o gamp. Roedd yr Aifft fatha *promised land* i ryw radda, ro'dd gwaith yna, ac roedd yr Aifft yn datblygu'r adeg honno. Oedd Nasser yn Arlywydd, dwi'n eitha siŵr bod ganddyn nhw obeithion, o ganfod y wlad Foslemaidd hefyd, i briodi yno ac i setlo lawr yn yr Aifft a trio cael bywyd gwell.

Ers hynny, yn enwedig ar ôl rhyfel y Gwlff yn ddiweddar, ma'r Aifft wedi newid i ryw raddau. Os nad wyt ti 'di cael dy eni yn yr Aifft dwyt ti ddim yn Eifftiwr ddim mwy. Dio ddim yn waeth na Saudi Arabia: os nad yw dy deulu di'n dod o Saudi Arabia yn wreiddiol dwyt ti ddim yn Saudi beth bynnag, hyd yn oed os wyt ti wedi cael dy eni yno. Ma' hwnna i ryw raddau yn newid yn yr Aifft, felly ma' gynna' i berthnasa yna sy' 'di cael 'u geni ac wedi cael 'u magu yn yr Aifft, ond sy' ddim yn cael galw 'u hunain yn Eifftwyr ddim mwy, gan olygu bod nhw ddim yn cael gweithio yna, sy'n ofnadwy iawn. Ond dyna sut ma'r byd yn mynd ar hyn o bryd, pobl yn cau'r ffiniau.

Wrth gwrs, mae 'na wrthdaro mawr rhwng y Moslemiaid beth bynnag, dyna beth y'n ni'n clywed fan hyn, bod y Moslemiaid yn ceisio cael pŵer yn yr Aifft yn de.

Y peth ydi, yn y Dwyrain Canol, roedd hanes y Dwyrain Canol 'i hun yn *aggressive* iawn – gwahanol *tribes* 'ma yn cwffio'n erbyn 'i gilydd. Dan ni 'di clywed am yr *Ottoman Empire* a Genghis Khan, a hyn i gyd. Daeth Islam i'r Dwyrain Canol tua phum can mlynedd ar ôl Iesu Grist, a 'dath o â heddwch i'r ardal am y tro cyntaf o fewn canrifoedd. Ar ôl hynna ro'dd yr Arabs i gyd yn gallu cyd-fyw a chydweithio efo'i gilydd. Beth sydd wedi digwydd yn ddiweddar ydi'n bod ni wedi gweld eithafwyr yn cael lot o sylw yn y newyddion. Faswn i byth yn deud bod John Major er enghraifft yn cynrychioli y Cristnogion ym Mhrydain. Wel, mae'n od iawn i weld rhywun fel Gaddhafi ar y newyddion, y peth cynta ti'n clywed yw 'i fod o'n Foslem . . .

. . . a Saddam Hussein

. . . a Saddam Hussein hefyd. Dwi ddim yn galw nhw'n Foslemiaid . . . Daw hynny ddim ond ar sail darllen y Koran a gwbod sut i fod yn Foslem a sut i fyw fel Moslem. Dydi Moslemiaid ddim, er enghraifft, yn cael elw ar fenthyciadau. Da'n ni ddim yn cael yfed cwrw, da'n ni ddim yn cael hyn a'r llall, ond y peth pwysicaf yw bod ni ddim yn gadael i bobl ddiodde, ac os ydi pobl fel Gaddhafi a Saddam Hussein yn gadael i'w pobl 'u hun ddioddef, wel ma' hwnna'n *hypocritical* i ryw radde. Ond 'dio ddim yn golygu bod o'n adlewyrchiad ar 'u pobl, achos dwi wedi cyfarfod shwd gymaint o bobl yn y byd Cristnogol er enghraifft, a dwi'n meddwl wel ma' nhw'n fwy Moslim na lot o Foslemiaid dwi 'di gyfarfod. Ma'n deud yn y Koran bod pawb yn Foslem ar y dechrau achos, wrth fod yn Foslem ti'n meddwl mwy am dy gymdogion, y bobl o'ch cwmpas chi. Yn y gymdeithas yma ma'r pwyslais wedi cael 'i roi ar yr unigolion, a ma' hwn yn taro yn erbyn Islam i ryw raddau achos rydan ni'n tueddu i feddwl am bawb a sut i wella'r byd ar gyfer pawb, ddim jest ar gyfer unigolion.

Dyna beth yw Cristnogeth hefyd.

Gobeithio, ie, ond i ryw raddau mae gwledydd Islamaidd, gan bod nhw'n cael 'u gweld fel y trydydd byd, wedi cadw'r hen draddodiadau, yr hen wreiddiau.

Beth yw'r record gyntaf yn mynd i fod nawr 'te?

Mae'r un gynta'n dod o Golombia yn Ne America, gan Y Su Tipica . . . dyna 'di enw'r grŵp, ond ma' 'na naw ohonyn nw, *so* dwi'm yn gwbod pam ma' nw di galw'u hun 'Er a saith ??'

Shwt ddaeth eich teulu chi felly draw i Gaerdydd?

Da'th fy nhaid. Dwi'n cofio 'nhaid yn sôn am ddod i Lerpwl am y tro cyntaf . . . Ar ôl cerdded i'r Aifft a setlo lawr yna, roedd o'n blismon am ychydig a nath o newid 'i feddwl tuag at aros yn yr Aifft. O'dd o eisie meddwl am well addysg i 'nhad i a phob dim a ddaeth o yma am y tro cyntaf fel morwr . . . Oedd 'na lot o hiliaeth yn Lerpwl adeg hynny, a mi glywodd o bod 'na gymuned Somali yn y dociau yma yng Nghaerdydd a daeth o lawr am y tro cyntaf . . . yn y pedwardegau dwi'n meddwl. Ar ôl sefydlu yn y dociau 'nath o benderfynu mynd yn ôl i nôl Dad, a dda'th Dad yma pan oedd o'n ddwy ar bymtheg dwi'n meddwl, am y tro cyntaf. Dwi'm yn siŵr faint o'dd dad yma cyn iddo fo fynd yn ôl i briodi, ond ro'dd Dad ar ôl ychydig wedi penderfynu mai dyma lle roedd o eisio magu'i blant.

A ddath e'n ôl â'r wraig newydd ac i fyw yng Nghaerdydd.

Do.

Nawr ry'ch chi felly Ali yn perthyn i'r ail genhedlaeth mewn gwirionedd 'ntefe?

Ydw . . . Dwi'n meddwl bod fi 'di bod yn lwcus iawn, dweud y gwir, achos ges i'n magu yn gwbod fy niwylliant i . . .

. . . be, diwylliant y Somali?

Y Somali, yr Aifft. O'dd Arabeg yn cael 'i siarad lot adre. Oddan ni i gyd yn rhugl yn Arabeg, ond dwi'n colli lot ohoni nawr, . . . sy'n gneud fi feddwl, dwi 'di dysgu Cymraeg, felly ma'n hen bryd i mi fynd yn ôl i Arabeg achos ma' gynna' i lot o deulu yn y Dwyrain Canol. Oddwn i'n sôn am faint o hiliaeth o'dd o gwmpas adeg hynny a dyna oedd y rheswm cryfa o'n nhw isio i mi wybod am yr hen ddiwylliant a'r hen ffyrdd. Ond i ryw raddau, dyna be sy'n od am Islam, achos ma' pawb yn gweld Islam nôl yn . . . dwi'm yn gwbod ym mha oes ma' nhw'n gweld Islam. Ma' nhw'n deud bod o ddim yn ddatblygu, ond dwi'n meddwl bod fi'n *proof* o'r ffaith bod Islam yn gallu bodoli yn enwedig yn y Gorllewin o dan yr holl amgylchiadau.

Ond ma'n rhaid bod 'na wrthdaro, achos ma' dyn yn clywed am bethe fel yn yr hen drefn wrth gwrs, mae priodasau'n cael eu trefnu er enghraifft ondefe?

Ie, ond mae'n dibynnu ar y ffordd ti'n meddwl am y byd. Ma' Islam yn gyffredinol wedi cael 'i weld fel rwbath sy'n cadw pobl i lawr a hyn a'r llall. Ti'n gweld, mae 'na biliwn o Foslemiaid yn y byd ar hyn o bryd. Ydi biliwn o bobl yn anghywir? Dwi 'di clywed pobl yn sôn am *arranged marriages* a hyn a'r llall. Wel bob tro dwi 'di clywed am yr holl amheuon a bob dim am *arranged marriages*, i edrych ar gyfartaledd beth sy'n digwydd o fewn priodasau yn y wlad yma neu yn y gymdeithas yma yn y Gorllewin i gymharu â'r Dwyrain Canol, wel 'da'n ni ddim yn cael lot o ysgariadau, 'da'n ni ddim yn cael yr holl dristwch sy'n digwydd . . .

Felly, mewn gwirionedd, fe alle priodasau wedi'u trefnu fod yn beth da?

Dwi jest yn meddwl bod y blaenoriaethau yn wahanol . . .

Beth amdanoch chi'ch hunan? Hynny yw, 'dech chi ddim yn briod.

Na dim eto.

Fysech chi'n fodlon felly cael eich priodas wedi'i threfnu?

Baswn . . . Wel y peth ydi dwi'n trystio Mam a Dad, dwi'n trystio nhw'n llwyr. Ma'n anodd iawn i esbonio i bobl sydd ddim 'di cael 'u magu fel'na sut neu pam wyt ti'n teimlo fel'na. Dwi'n dri deg nawr. Ma' lot o'n ffrindie ysgol i 'di priodi ac wedi cael ysgariad erbyn hyn a ma' lot ohonyn nhw efo plant, a lot ohonyn nhw'n poeni bod rywun arall yn mynd 'i fagu'u plant nhw. Mae hwnna'n od iawn. Ar y llaw arall, dwi'n cael yr agwedd 'Ie 'dach chi'n cael priodi mwy nag un fenyw yn dydach'. Wel i ddeud y gwir dwi ddim yn gwbod os fedra' i ddiodde mwy nag un! Ar y sail yna, ma' perthnasau yn y gymdeithas yma, bod dau berson yn dod at 'i gilydd, a ma' nhw yna am byth a hyn a'r llall, ar y sail yna ma' nhw'n deud, gan bod chi'n cael priodi mwy nag un fenyw, bod hwnna'n rong. Ma' rhyw yn y wlad yma, yn enwedig yn y Gorllewin, yn bwysicach nag unrhyw beth arall mewn perthynas. Dan ni'n gweld hyn ar y teli trwy'r amser, weithiau mae'n ormod. Ma' na Foslemiaid sy' wedi priodi gwragedd o fewn y teulu. Dweda bod rhywun 'di marw yn y teulu, y cwbl yw e yw cymryd drosodd y cyfrifoldeb. Dyw rhyw ddim yn dod mewn i'r peth, mae jest yn rhywbeth i gadw'r teulu at 'i gilydd, a ma' rhywun yn *actually* cymryd y cyfrifoldeb. Fel'na ma' hwnna'n digwydd o fewn y cymuned . . . Beth ddylwn i ddeud am Islam yw bod ni ddim yn caniatáu priodi mwy nag un fenyw, ond 'dan ni ddim yn stopio pobl rhag gwneud hwnna. Ma' pobl yn cael lot o *stick* am ddeud hyn, ond ma' 'na fwy o fenywod yn y byd na dynion, a dyna sut ma' nhw wedi trio datrys y broblem.

Gofalu ar ôl ni'r menywod.

Ie, dwi 'di cael lot o agwedd gul iawn gan fenywod yn y wlad yma sy'n meddwl bod hwnna'n cymryd 'u hawliau nhw i ffwrdd. Wel gofyn i'r menywod yn y Dwyrain Canol, yn gyntaf . . .

. . . byd gwahanol iawn sydd gyda ni wrth gwrs yntefe?

Ie.

Felly pan mae y'n ni'n sôn am y diwylliant, Ali, y diwylliant ydi'r diwylliant Islamaidd, a dyna beth yw craidd y peth.

Dyna pam dwi ddim yn gweld fy hun fel unrhyw beth spesial fel Cymro neu Eifftiwr neu rywun o Somalia. Y peth ydi ma' crefydd yn fwy pwysig i fi, ac yn Islam, yn y Koran, ma'n deud bod ni i gyd yn gyfartal, ac os wyt ti'n mynd i Mecca adeg yma er enghraifft, ma'n ddathliad yr Id, sy'n debyg iawn i Nadolig, ond dyma pryd daeth y neges i'r proffwyd Mohammed. Ma' Mwslemiaid i gyd yn mynd ar yr *hadj*, sef y bererindod 'ma i Mecca, ac yn Mecca mae 'na, dwi'm yn siŵr faint, ond can mil o bobol dwi'n meddwl sy'n gallu ffitio yn y *Ka'aba* 'i hun. Yn naturiol, ma' Asiaid yn aros hefo'i gilydd, mae pobol wyn yn aros hefo'i gilydd, ma' Nigerians, gwahanol Eifftwyr, gwahanol wledydd, ma'r bobol 'ma'n aros hefo'i gilydd yn naturiol ond ma' nhw'n gweld o fel math o *brotherhood* mawr o bobol. Dan ni'n dallt ein gilydd.

Eich ail record chi?

Bob Marley, un o'n ffefrynnau i. Y rheswm dwi'n licio Bob Marley yw mae pob cân mae o 'di sgwennu yn deud rwbath.

* * *

Bob Marley yn Chasing the Crazy Boldheads out of town. *Pwy yw'r Crazy Boldheads 'ma te? Nid pobol wynion nawr ife?*

Na, dyna sy'n od am Bob Marley. Oedd lot o bobl yn meddwl bod Bob Marley yn sefyll am hawliau pobl ddu a hyn a'r llall. Oedd o'n sefyll am yr *oppressed* lle bynnag o'n nhw yn y byd . . . Oedd 'i dad yn wyn a Prydeinig a'i fam yn ddu o Jamaica, o'dd o'n deud bod neb yn gallu bod yn fwy Babylon na fo. A sôn am wahanol liwiau, dwi'n ffeindio fe'n od iawn bod pobol yn meddwl mai dim ond pedwar lliw gwahanol sy' yn y byd, sef brown, du, gwyn a melyn. Mae 'na dros ddwy fil ohonyn nhw. Mae'n anhygoel bod ni gyd yn gallu meddwl mor gul â hynny.

I fynd yn ôl at yr Islam 'ma, sy'n ddiddorol iawn iawn. Wnaethoch chi fyth wrthryfela yn erbyn Islam, achos fe gawsoch chi'ch magu yn Foslem a mae e'n fagwreth ddisgybledig iawn.

Wrth gael fy magu ym Mhrydain mae'n anodd iawn . . . Dwi'n meddwl bod o'n anodd iawn bod yn Foslem yn y wlad yma, achos ti'n cael yr holl demtasiwn i newid, a wnes i fel lot o bobl ifanc newid a gweld fy hun fel unigolyn oedd eisie datblygu fy hun. A'r peth oedd, roedd rhaid i mi neud hwnna i sylweddoli pa mor iawn oedd Mam a Dad, a ma' nhw'n cael hwyl nawr yn atgoffa fi am y math o betha o'n i'n neud . . .

Pa fath o betha o'dd rheiny nawr'te Ali?

Wel jest mynd allan, ti'mbod, jest yn cwestiynu . . .

Mynd i'r tafarne ac yfed . . .

Wel y peth ydi ma' Islam wedi cael 'i seilio ar reswm a mae'n rhaid cwestiynu bob dim sydd yn y Koran wrth siarad efo pobl erill, dyna'r unig ffordd o ddallt y Koran. Faswn i ddim yn deud i'r genedl y math o betha o'n i'n neud . . .

. . . o'dd yn groes i'r Koran?

Ie.

Ar hyn o bryd wrth gwrs ma'r Moslem yn cael llawer iawn o sylw yn d'yn nhw, achos ma' nhw fel petaen nhw 'nghanol sawl rhyfel, Bosnia, wrth gwrs rhyfel y Gwlff . . .

Mae 'na *hypocrisy* ym mhob man yn does, dwi'n gweld o'n ofnadwy bod ni'n gallu anfon milwyr i'r Gwlff i gwffio dros olew. Ma' pawb yn gwybod erbyn hyn taw olew o'dd y rheswm.

Kuwait wrth gwrs.

Ie, yn union. Dwi'n nabod lot o bobl sy' 'di bod i'r Dwyrain Canol, sy' wedi gweld gwahanol wledydd yn y Dwyrain Canol, ac sy' wedi cyfarfod gwahanol bobl, a ma' nhw'n cael syndod faint o Arabiaid, Iddewon, Cristnogion, bod yr holl bobl 'ma yn *actually* byw hefo'i gilydd. O'n nhw'n meddwl taw dim ond *Arabs* oedd yn y Dwyrain Canol . . .

A peth arall sy' wedi cael tipyn go lew o sylw ydi'r 'Fatwa' 'ma yn erbyn Salman Rushdie ondefe? A mae e'n dal i fod wrth gwrs.

Ydi, y peth licen 'i wbod yw lle yn y Koran ma'n deud bod rhywun efo'r hawl i neud hyn'na yn y lle cyntaf.

Felly 'dych chi ddim yn cytuno â hwn'na?

Na, ddim o gwbl. Dwi ddim 'di darllen y *Satanic Verses* . . . y rheswm ma' Moslemiaid yn erbyn y *Satanic Verses* yw'r ffaith bod o wedi defnyddio enwau chwiorydd y proffwyd Mohammed fel enwau yn y llyfr . . . Mae Islam wedi cael 'i seilio ar gymunedau yn y wlad yma, sy'n cael eu galw'n *secular state* lle mae hawliau'r unigol yn bwysicach. Dyna lle mae Islam yn clashio efo'r gymdeithas, ac oherwydd hynny dwi ddim yn meddwl bod o'n iawn i ladd rhywun am hyn'na, a dwi'n meddwl bod lot o Foslemiaid yn teimlo'r un ffordd â fi . . .

Fydda i'n aml yn meddwl, oni fyddai'r byd 'ma'n well petaen ni ddim yn perthyn i unrhyw grefydd o gwbl, achos crefydd sydd wrth sail gymint o ryfela?

Dwi 'di clywad y gair *jihad* yn cael 'i ddefnyddio lot tra ma' pobl yn sôn am grefydda, rhyfela a phob dim. Dwi'm yn siŵr faint o bobl sy'n sbïo mewn geiriadur *Arabic*, ond ma' *jihad* yn golygu defnyddio dy bwer di i aros fel Moslem, yn cadw dy hun fel Moslem, a byw fel Moslem. Os ydi hwn'na dan fygythiad, ti'n cael yr hawl i amddiffyn dy hun, ddim i ymosod ar bobl eraill . . .

Ie, ond heb grefydd fydde neb isie ymosod ar neb?

Ia, ond heb grefydd dwi meddwl fydda' fo'n waeth.

Bydde fe?

Dwi'n meddwl.

Nawr te, y record nesaf.

Public Enemy. Ges i'r fraint o gyfarfod nhw llynedd yng Ngwyl Reading. Ma' nhw'n dod o Efrog Newydd. Be dwi'n licio am *Public Enemy* ydi bod nhw'n rhoi hanes yn 'u caneuon nhw – hanes gwahanol bobl yn y byd . . . ar ochr hanes pobl ddu yn yr Unol Daleithiau, er enghraifft, ma' *Public Enemy* wedi trio gneud rhywbeth amdano fe.

* * *

Public Enemy. Tro cynta erioed ar Radio Cymru ie?

Yn ystod gola dydd dwi'n meddwl! Ma' nhw 'di bod yn ddadleuol iawn yn yr Unol Daleithiau.

Odyn nhw? Pam de?

Wel, achos bod nhw'n codi sylw. Dwi'n meddwl bod hwn'na'n digwydd ym mhob gwlad. Ma'n digwydd yng Nghymru ar hyn o bryd. Mae Cymdeithas yr Iaith a mudiadau fel'na yn trio codi sylw am yr iaith Gymraeg a hawliau y Cymry Cymraeg yn 'u gwlad 'u hunain. Fel'na ma' *Public Enemy* yn 'i ardal 'i hun yn Efrog Newydd.

A hawliau'r duon felly?

Y peth ydi, yn yr Unol Daleithiau 'dan ni'n cael cymunedau sy' ddim yn *integrated* fel dan ni'n galw Prydain, mae 'na gymunedau *Hispanic*, cymunedau du, cymunedau gwahanol, *Chinatown* er enghraifft. Felly ma' pobl yn tueddu i aros efo'i gilydd yn yr Unol Daleithiau.

Fel sy'n digwydd i raddau helaeth yn ardal y dociau Caerdydd?

I ryw raddau.

Ydi e'n dal i fod yn ghetto yno Ali – yr ochr arall i'r rheilffordd yn de?

Dwi'n casáu yr enw yna, *ghetto*, achos myth yw hwn'na. OK dan ni 'di gweld y ffilm *Tiger Bay* a ma' hwn'na wedi neud lot i godi'r argraff yna. Ond tra o'n i'n ifanc yn tyfu i fyny yn y dociau, dwi'n dal yn cofio pobl yn gadael 'u drysau ar agor. O'dd hi'n fwy cyfeillgar yno, o'dd o'n *amazing*. Dwi *really* yn gwerthfawrogi cael fy magu yn y dociau. Ond be sy' 'di digwydd yn ddiweddar ydi bod ni 'di clywed am ffoaduriaid o Somalia yn dod drosodd a ma' pawb sy'n Somaliad yn y dociau nawr yn cael 'i weld fel ffoadur, sy'n od, sy'n stiwpid *really* achos ma' cymuned Somaliaid wedi bod yna ers dros gant a hanner o flynyddoedd . . .

Ond wrth gwrs y gwir yw am gymdeithas cefen gwlad Cymru yndefe – o'n nhw'n cadw'u dryse ar agor tan yn ddiweddar iawn yn toedden? Hynny yw, ma'r byd yn newid.

Ydi. Wrth ddysgu Cymraeg ac *actually* mynd o gwmpas Cymru dwi 'di gweld, dwi nawr yn gwybod pam ma' nhw'n defnyddio *phrases* fel *'We'll keep a welcome in the hillsides'* a hyn a'r llall, achos yn sylfaenol, ma' Cymry Cymraeg yn gyfeillgar iawn fel pobl.

Pryd sylweddoloch chi fod 'na'r fath beth â Chymraeg yn bod?

Dwi'm yn cofio i ddeud y gwir – yn amlwg nid cyn imi gyrraedd deg. I ddeud y gwir do'n i ddim yn gwbod bod hiliaeth yn bodoli nes bod fi'n gadael y dociau yn ddeg oed ar ôl i'r Cyngor gael y *compulsory purchase* 'ma. O'dd raid i ni symud, o'dd Dad isio prynu tŷ. O'n nhw 'di gwrthod lawr yn Cathedral Road yng Nghaerdydd, lle ma' lot o'r Cymry Cymraeg yn aros y dyddiau yma. O'dd 'na *colour bar* i ryw raddau, a ffeindion nhw dŷ yn Grangetown, jest lawr y lôn wrth ochr yr afon, a tua deg mlynedd ar ôl hynna o'dd 'na *flood* mawr yn Cathedral Road, oddan ni'n OK, o'n i ar ochr llydanach y Taf.

Allah yn gofalu amdanoch chi. Ond wedyn, mynd ati i ddysgu Cymraeg wedyn? Ond nid yn yr ysgol, na dim byd fel'na.

Na, wel clywais i 'chydig yn yr ysgol. Adeg hynny o'dd 'na ddim arwyddion Cymraeg o gwmpas Caerdydd chwaith. O'dd Caerdydd yn unigryw i ryw raddau achos o'dd o'n cael 'i weld fel dinas yn tyfu, y brifddinas ifanca yn Ewrop. Yn enwedig dros y deng mlynedd diwethaf dwi 'di gweld shwd gymaint o newidiadau yng Nghaerdydd; ma'r boblogaeth 'di tyfu, dan ni 'di gweld lot o gwmnïau mawr yn dod yma, fel *Holiday Inn*, sy'n denu lot o dwristiaid yma. Ma' *Cardiff Bay Development Corporation* 'di datblygu'r dociau er mwyn trio denu mwy o bobl mewn a trio creu rwbeth yma yng Nghaerdydd. Ond i ryw raddau ma' nhw 'di colli awyrgylch Caerdydd. I fi ma' hyd yn oed yr enw Caerdydd, OK mae'n enw Cymraeg, ond i mi ma'n mynd i fod yn Cardiff am byth . . .

Ond beth o'dd barn eich rhieni er enghraifft, a'ch brodyr a'ch chwiorydd, pan wedoch chi, reit wi'n mynd i ddysgu Cymraeg?

I ddechra, o'n nhw ddim yn meddwl bod fi'n hollol o ddifrif am y peth. Erbyn hyn, ma' nhw'n falch iawn.

Odyn nhw?

Ma'n rhieni fi'n tapio bob dim ar y radio a'r teledu i'w anfon nôl i'r Dwyrain Canol. Dwi jest yn falch bod fi'n gallu rhoi gwên ar 'u wyneb.

Os ots 'dach chi weithie, achos fydda' i'n teimlo falle ein bod ni'n eich rhoi chi on show fel petai, y dyn du 'ma wedi wedi ffwdanu dysgu Cymraeg, a felly fel rwbeth yn y syrcas ontefe, y peth od 'ma?

Mi o'dd o'n teimlo fel'na ar y dechrau, dwi'n meddwl i ryw raddau, ond be o'dd yn help i fi o'dd meddwl am y ffaith bod cymuned yn y dociau lle dwi'n dod o'n wreiddiol wedi bodoli ers dros gant a hanner o flynyddoedd. Erbyn hyn os nad ydi pobl yn sylweddoli bod ni yma i aros, mae 'na broblem fawr yn rhywle . . . Dwi'n meddwl bod ganddon ni yn Butetown lot i ddysgu a dwi hefyd yn meddwl bod fi 'di dysgu lot am Gymru wrth ddysgu'r iaith. Yr unig peth alla'i ddeud . . . dwi'n trio parchu bob ochr, ma'n anodd iawn. Ges i fy magu reit yng nghanol y problemau yn y dociau yn y lle cynta, o'dd y Somaliaid yn meddwl bod fi'n un ohonyn nhw ac o'dd yr *Arabs* yn meddwl bod fi'n un ohonyn nw. Dwi ddim yn leicio bod yng nghanol yr holl *hassles* 'ma.

A'r record olaf nawr 'te Ali.

Dyma'r grŵp dda'th yma yn ddiweddar i Gaerdydd o'r enw *The Rebirth Brassband*. Ma' nhw'n ymddangos mewn rhaglen deledu nos Wener ar BBC 1.

Chi sy'n cyflwyno honno ia?

Yndw. Ma' nhw'n dod o New Orleans, a ma' nhw eisio ennill Grammy.

'Mae rhan ohonof wedi aros yn blentyn'

T. Llew Jones

Awdur, Bardd

Darlledwyd: 21 a 28 Rhagfyr, 1995 (dwy raglen)

Cerddoriaeth:
1. *Lili Marlen:* Marlene Dietrich
2. *Hiraeth am Gaernarfon:* Marilyn Haydn Jones
3. *Bryd Dynrafon:* Richard Rees
4. *Y Fedwen:* Aled Lloyd Davies
5. *Y Pysgotwyr perl:* Dafydd Edwards ac Evan Lloyd

Beti George:

Am ei bod hi'n gyfnod y Nadolig, mae 'na gwmni go arbennig 'da ni heddi. Fe allech chi ei roi e yn yr un categori â Santa Clôs gan iddo gael pedair mil o gardie gan blant yn gynharach eleni, pan oedd e'n dathlu'i ben-blwydd yn bedwar ugen. Mae e mor iach â chneuen. Mae'n gallu rhedeg o hyd. Ddim mor glou erbyn hyn medde fe, ond ma'i lais a'i lefaru mor gyfareddol ag erioed. Mae'n brifardd, ond i filoedd ar filoedd o blant mae e'n fwy adnabyddus fel nofelydd rhyfeddol o lwyddiannus, ac ma'i gerddi i blant wedi swyno cenedlaethau o adroddwyr a chynulleidfaoedd eisteddfodol. Fe allwn inne frolio hefyd, mae 'na ddau beth sy'n gyffredin rhyngthon ni. Roedd ei dad fel fy nhad inne yn wehydd. Ac fe fu'n byw am flynyddoedd yn fy mhentre genedigol i, pan o'dd e'n brifathro enwog Ysgol Coed-y-Bryn. Yn ei gartref ym Mhontgarreg ger Llangrannog fe'm difyrrodd am orie, a heddi fe gawn ni glywed rhan gynta'r sgwrs gyda T. Llew Jones.

Ry'ch chi wedi dweud bod chi'n teimlo'n blentyn y tu fewn, sy' fel Peter Pan yn gwrthod prifio a heneiddio. Ydi hynny'n dal yn wir a meddwl eich bod chi'n awr yn bedwar ugen?

T. Llew Jones:

Dwi yn rhyw deimlo wyddoch chi fy mod i, er fy mod i'n bedwar ugain fel y'ch chi'n dweud, mae rhyw ran ohona' i wedi aros yn blentyn. Pan fydda' i'n sgrifennu storïau i blant falle fydda' i wedi dod i ryw fan cyffrous teimladwy yn y stori, a fydda' i'n crio. A ma' hwnna'n rhyfeddod. Ma' fe'n rhyfeddod i fi'n hunan. Wi wedi bod yn trio dweud wrth fy hunan, wel dyna beth od yw hwnna, oherwydd fi sy' wedi gneud yr holl ffug, a'r stori a'r digwydd ac yn y blaen. Ac eto, wi yn cyfadde, dwi'n crio.

A fi'n cofio rhyw dro, o'n i newydd orffen yr ola o'r tair nofel am Twm Siôn Cati, *Dial o'r Diwedd*, ag ro'n i wedi dod at lle'r oedd y briodas yma, a lle'r oedd y telynor wedi dod, a phawb oedd wedi bod ynglŷn â'r digwydd yn y stori, wedi dod ynghyd i'r plas 'ma, i'r briodas. Ro'dd hyn wedi bod yn fy mhen i ers llawer dydd, ac yna ei sgrifennu hi. A ro'n i'n crio. Achlysur hapus o'dd hi, ond ro'n i'n crio. A dwi'n cofio, nosweth ar ôl i fi orffen y bennod ola 'na, fe dda'th Waldo i'n tŷ ni. O'dd e'n dod 'ma weithie i ga'l *chat* 'da fi, a trigo penwythnos gyda ni, a wedes i wrtho fe y noson yma, 'Ma bownd fod rywbeth yn rong arna' i.' 'Pam ti'n gweud hynna?' medde fe. 'Wel wyddoch chi neithiwr o'n i'n bennu pennod ola y nofel Twm Siôn Cati 'ma, *Dial o'r Diwedd*,' wedes i wrtho fe, 'a o'n i'n crio.' A wyddech chi ma'i eirie fe wedi aros gyda fi, a mae'n dipyn o gysur i fi hefyd, 'Fydde'i ddim gwerth heb hynny,' medde fe. A dwi'n meddwl falle mai dyna pam dwi wedi llwyddo i ryw raddau i sgwennu nofele wrth fodd plant. Hynny yw, dwi wedi teimlo'r digwydd i gyd. Mae plant yn gofyn i fi ambell waith, cwestiwn anodd iawn, 'A ydi'r stori 'na'n wir?' A ma'r ateb gyda fi, 'Ma'n wir i fi, oherwydd rwy wedi'i theimlo hi wrth 'i ysgrifennu hi'. Yn yr ystyr yna dwi'n credu 'mod i wedi aros, rhan ohono'i, wedi aros yn blentyn.

Ond dyna pam y'ch chi'n cael ymateb mor dda gyda phlant yntefe, achos maen nhw'n synhwyro bod chi'n un ohonyn nhw beth bynnag?

Dwi'n credu bo' nhw. Ma'n syndod beth sy'n digwydd gyda geirie fel'na. Os y'ch chi'n sgrifennu nhw o dan deimlad, o dan argyhoeddiad, ma'r un sy'n darllen hefyd yn synhwyro bod y peth 'na yn wir. A wyddoch chi, does dim isie rhyfeddu obytu fe. Mae actorese yn gallu neud e, ma' nhw yn 'i neud e a gweud y gwir. Meddyliwch chi pan fyddan nhw ar lwyfan a'r olygfa a'r digwydd yn drasig iawn ondefe. Fydd y dagre yn powlio lawr 'u gruddie nhw. Ma' nhw wedi teimlo i'r byw. A dyna be sy'n digwydd i fi pan fydda' i'n sgrifennu'r peth hefyd. Wi'n teimlo i'r byw dros fy nghymeriade a'r digwydd ac yn y blaen, a ma' plant yn gallu diall hwnna hefyd.

Y'ch chi'n dal i fynd rownd i ysgolion wrth gwrs, . . . Beth y'ch chi'n neud, chi'n darllen rhan o'ch gwaith iddyn nhw, neu be sy'n digwydd i'r plant?

Dwi'n mynd o gwmpas ysgolion o hyd a dwi'n falch o'r fraint fy mod i'n cael mynd oherwydd ma'n fy nghadw i'n ifanc. Dyna beth wy'n neud yw adrodd hanes, tipyn o'n hanes i yn fachgen bach . . . ma' rhyw stori gyda fi, pan o'n i'n saith oed, ges i glywed darn o stori gyda'r ysgolfeistr yn yr ysgol. Oedd e mor gyffrous. A mi oedd hwnna'n rhyw drobwynt yn fy mywyd i. Fe ddechreues i wedyn ddarllen llyfrau, a darllen a darllen a darllen, cannoedd o lyfrau; o'n i'n darllen yn y gwely yn y nos, ag o'n i'n darllen yn hwyr a ro'dd mam druan yn ddig 'mod i'n darllen yn y gwely.

Gole cannwyll oddi hi?

Gole cannwyll, gole cannwyll, ie. Oedd hi'n trio rhoi rhyw damed bach o gannwyll i fi i fynd i'r gwely. Yn yr hen beth rownd 'na, canhwyllarn o'n ni'n galw fe. Ond fydden i'n dwgyd canhwylle oddi arni. Ow, o'n i'n ddrwg! Oedd hi'n cadw canhwylle yn y pantri, o'n i'n mynd ag un yn fy mhoced lan i'r gwely a darllen.

Oedd dim lot o lyfre Cymraeg yr adeg honno?

Nagodd. Lot o lyfre Saesneg ddarllenes i fwya. Ac yn y cyfnod yna, pan o'n i tua deuddeg oed falle, fe dda'th y *Penguin* chwe cheiniog allan. Wel dyna fendith o'dd hwnna. A wyddech chi, o'n i'n cael chwe cheiniog gyda mam a o'n i'n mynd lan i Landysul wedyn, taith o ryw ddwy filltir a hanner. Cerdded. Ac edrych ar y *Penguin's* yng Ngwasg Gomer, a fydden i'n mynd ag un. A 'na beth o'n i'n hoffi oedd nofele hanesyddol. Un awdur dwi'n gofio'n arbennig, Rafael Sabatini. Sdim sôn amdano fe nawr, ond o'n i'n meddwl fod e'n ysgrifennu storïau hanesyddol gwych. O'n i mor falch o'r *Penguins.*

Odd llyfrgell yr ysgol yn gyfyng iawn. Wedd 'na lyfre ar gyfer plant, ond o'n nhw'n anodd iawn, ac yn Saesneg fel byddech chi'n meddwl. *With Clive in Quebec* o'dd un, *With Kitchener in Kartoum* yn un arall. Llyfr arall fenthyces i, wi'n credu falle mai *The Life of Gladstone* o'dd y teitl. O'dd hwnna'n sych ofnadw. Es i ddim drwy hwnna.

Wrth fynd o gwmpas, nawr te, a gweld y plant yn ymateb i'r hyn y'ch chi wedi sgrifennu, mae e siŵr o fod yn deimlad o falchder bod nhw'n dal i ddarllen eich gwaith chi a bod nhw'n deall y Gymraeg hyd yn oed, achos ma'r Gymraeg wedi newid.

Ma'i wedi newid, ma'i wedi glastwreiddio, beth allwch chi ddweud amdani. Ond mae rhyw gysur mawr i fi wyddoch chi, roedd rhieni'r plant yna yn darllen fy llyfre fi hefyd. Ac erbyn hyn ma'r plant yn 'u darllen nhw. Ond ma'n ddrwg gyda fi ddweud, dwi'n teimlo dyddie 'ma fod darllen yn yr ysgolion wedi dirywio yn bur ddifrifol. Rai blynydde'n ôl fydden i'n mynd i ysgol a gofyn i'r plant, 'Faint ohonoch chi sy' wedi darllen llyfyr o 'ngwaith i?' a fydde 'na lot o ddwylo bach yn mynd lan i'r awyr. Yn y blynydde dwetha mae wedi lleihau a dwi'm yn gwybod ai'r gyfundrefn newydd sy'n gyfrifol. Dwi'm yn gwybod sut ma' nhw'n dysgu darllen yn yr ysgolion nawr, ond ma'n ddrwg gyda fi fod darllen yn dirywio oherwydd mae plentyn sy'n darllen yn dysgu. Mae hwnna'n wir am bobol mewn oed yr un peth. Os y'ch chi'n darllen y'ch chi'n dysgu, a ma'n biti mawr os ydi darllen wedi dirywio i'r gradde rw i'n rhyw dybio 'i fod e.

Ac eto fe gawsoch chi beder mil o gardie gan blant pan o'ch chi'n bedwar ugen yn gynharach 'leni?

Chwarae teg, o'n i wedi dotio . . . Wi newydd orffen mynd drwyddyn nhw i gyd. Mae wedi bod yn dasg, wi'n gweud 'tho chi. Ond tasg hyfryd iawn oedd hi, a ma' rhai ohonyn nhw'n ddoniol. Un hen grwt bach yn ysgrifennu ata' i a'i garden wedi'i gneud 'i hunan, gyda *crayons* a pethe, a 'Pen-blwydd Hapus i'r ail awdur gorau yn y byd' ar y dudalen gynta. O'ch chi'n agor e lan wedyn, 'Dim ond tynnu dy goes di' y tu fewn. Dyna dda ontefe?

Ydi diniweidrwydd plant yn apelio atoch chi hefyd?

Ydi mae e, yn fawr iawn. Dwi'n mwynhau yn 'u cwmni nhw a ma' well gyda fi gwmni plant na phobol mewn oed. Dwi'n dod ymlaen yn well gyda phlant. Dwi'm yn gwybod beth yw'r gyfrinach, ond dwi'n gallu cyfathrebu â phlant yn well na phobol mewn oed.

Hefyd does na ddim rhagfarne 'da nhw, nagoese? Dyw rheiny ddim wedi tyfu.

Nagoes, nagoes ddim. Fe wedan 'u barn heb flewyn ar dafod wrthoch chi, dyna sy'n dda mewn sgrifennu i blant. Be sy' ddim yn dda yn sgrifennu i blant wrth gwrs yw mai nid nhw sy'n neud adolygiade ar eich llyfre chi. Beth amser yn ôl nawr o'n i wedi sgrifennu ryw gyfrol o dair stori gyffrous. Roedd y gyfrol yma wedi 'i amcanu at blant oedd yn ddarllenwyr araf, ddim yn ddarllenwyr hirwyntog fel mae rhai plant yn gallu darllen nofel yn 'i hyd. O'n i wedi sgrifennu hwn, *Arswyd y Byd* o'dd enw'r llyfyr, ag ro'n i wedi symleiddio'r iaith, hynny o'n i'n feddwl, ac roedden ni wedi symleiddio plot y stori hefyd. Ac fe ga'th adolygiad ofnadwy, gyda hen ffrind hefyd, Mari Ellis, Aberystwyth. O fe ddywedodd bethe cas amdano fe. Ond bron ar yr un wythnos yr oedd yr adolygiad yn ymddangos yn y *Faner*, os dwi'n cofio'n iawn, roedden i'n derbyn llythyron oddi wrth blant yn canmol a gweud mai hwn oedd y llyfr gore o'n i 'di sgrifennu erioed. Plant ddyle fod yn adolygu 'u hunen dwi'n teimlo. Ar hyd y blynydde wi wedi cael tipyn bach o gam gan adolygwyr mewn oed, ond dwi ddim yn dal dig o gwbl. Mae Mari Ellis a finne yn dal yn gyment o ffrindie heddi â fuon ni erioed.

Nawr te, cerddoriaeth. Ydi e'n rhan bwysig o'ch bywyd chi?

Nadi, dwi ddim yn gerddorol o gwbl a gweud y gwir. Dwi ddim yn gallu canu. Dwi'm hyd yn oed yn canu yn y bàth, a ma' nhw'n gweud fod pobun yn trio canu fan'ny weithie.

Ond y'ch chi 'di dewis pump record heddi.

Un Lilly Marlene yw'r gyntaf dwi 'di ddewis.

* * *

Y'ch chi'n ffan o Marlene Dietrich?

Nac'dw. Weda'i wrthoch chi pam o'n i'n dewis y record yna. Fues i yn y rhyfel, yng ngogledd Affrica a'r Eidal am bum mlynedd a hanner yn agos iawn, a roedd yr hen gân yna, cân Almaenaidd oedd hi, ond rywsut neu'i gilydd roedd yr alaw fach 'ma, yn rhyfedd iawn, wedi cael 'i mabwysiadu gan ein milwyr ni a milwyr yr Almaen. Os fydde'r ddwy fyddin yn weddol agos at 'i gilydd, allech chi glywed canu Lilly Marlene o fan'co a fan hyn.

Fe gawsoch chi'ch galw lan ar ddiwrnod eich priodas?

Do wir. Roedd hynny'n beth rhyfedd iawn i ddigwydd i ddyn. Fwynheais i ddim un diwrnod o 'nghyfnod yn y Lluoedd Arfog, a ma'n dda gyda fi ddeud na saethes i neb. Laddes i neb. Fues i bron a cael fy lladd unweth ne' ddwy yn hunan, ond ddes i drwyddi yn ddihangol. Dwi'm yn credu mewn rhyfel o gwbwl.

Och chi'm wedi ystyried gwrthwynebu, i fod yn wrthwynebydd cydwybodol?

Nag oedden. O'n i rywsut ne'i gilydd yn teimlo ar y pryd hwnnw y bydden i'n fodlon gneud rhywbeth dros fy ngwlad. O'dd rhyw jingoism obytu'r lle y pryd hynny, chi'n gwbod. Ond erbyn hyn faswn i ddim yn barod i fynd i ryfel . . .

Ac wrth gwrs o'dd 'na enw drwg i'r conshis *yn do'dd e, yn yr ardal ffor' hyn.*

O diar oedd. Ac eto roedd rhai o'n ffrindie gore i yn *conshis* os gwedwch chi.

Odd raid iddyn nhw fod yn ddewr iawn wrth gwrs.

Oedd, rheina oedd y bobol ddewr, nid ni.

Be welsoch chi, sy'n creu hunllefe i chi hyd yn oed heddi falle?

O oes, ma' tipyn o ryw bethe welis i. Wi'n cofio yn arbennig pan oedden ni'n yr Eidal ag yn agos i'r lle o'r enw Monte Casino. Roedd brwydro gwaedlyd iawn wedi bod fan'na am gyfnod hir. Roedd hen fynachlog ar ben y bryn 'ma, ag erbyn y diwedd doedd dim maen ar faen yn sefyll o'r hen fynachlog. Roedd yr Almaenwyr wedi adeiladu ffosydd mewn fan'na, roedd gyda nhw ryw gadarnle i'w gael. Fe gymrodd hi amser hir i'r milwyr Prydeinig i drechu rheina. Wi'n credu mai'r bechgyn o Awstralia lwyddodd yn y diwedd. Ro'n i'n agos at Monte Casino ag roedd awyren fach yn ystod y dydd yn troi rownd a rownd ar ôl i'r brwydro symud 'mlân, a wedi holi beth o'dd hi'n neud fan'na bob dydd, fe ddwedon nhw wrtho i mai tywallt *disinfectant* ar y lle 'ma oedd hi, lle ro'dd cymint o gyrff yn gorwedd.

Rodd 'na olygfeydd rhyfedd iawn yn y rhan yna o'r Eidal. Tanciau mawr yn y winllan, lle'r oedd y grawnwin yn tyfu, a'r rheiny wedi cael 'u cnoco allan, a croesau bach ar ochor y ffordd lle'r oedd milwyr wedi cael 'u claddu ar frys yn y ffosydd, yn y gwter. Rhyw gyfaill wedi codi croes ar ochr y ffordd, rhyw betha fel'na. A fi'n cofio, rhyw ddiwrnod tawel o'dd hi, a'r brwydro wedi mynd 'mlân nawr. Fe es i am dro wrth yn hunan, a es i lawr rhyw hen lwybyr oddi ar y ffordd trwy ryw goed. Pan ddes i i odre'r coed 'ma fe weles gae bach, a beth o'dd yn y cae 'ma ond hen Eidalwr a dau ych, yn aredig. O'n i'n meddwl wrth yn hunan, ma' hwn lot yn fwy call na ni. Dwi'm yn gwbod, druan, shwt o'dd e wedi llwyddo i gadw'r ddau ych ynghudd oddi wrth y Prydeinwyr a'r Almaenwyr, neu fuasen nhw wedi byta nhw! Ond fan'na o'dd e'n 'redig. Chware teg iddo fe.

O'ch chi'n cael cyfle wedyn i brydyddu rhywfaint pan o'ch chi mas 'na?

Amser o'n i yn yr Aifft roedd 'na gyfle, roedd 'na ryw gymdeithas Gymraeg i gael yn Cairo a fe fuon nhw'n cynnal steddfod. Ro'n i wedi anfon y delyneg 'ma i mewn i'r steddfod ac fe glywes ymhen misoedd bod y delyneg wedi ennill i fi yn eisteddfod Cairo. O'n i ddim yn y steddfod, o'n i mewn pabell mas yn y diffeithwch.

O'ch chi'n hala cerddi nôl hefyd i'r Cymro?

O oeddwn, i Dewi Emrys [golygydd y *Babell Awen* yn y *Cymro*]; o'n i'n hala ambell i gerdd nôl i hwnnw.

Odd Dewi Emrys yn dipyn o arwr i chi?

Oedd mewn ffordd. O'n i'n nabod e'n dda cofiwch. O'dd e'n dipyn o wag hefyd. Ond roedd rhywbeth yn eitha da yn yr hen Dewi. O'dd e'n athro beirdd da iawn. O'dd e'n gwbod pryd i ganmol a pryd i fod 'mbach yn llym weithie. Roedd rhyw ddawn gydag e, o'dd e'n fwy o athro beirdd dwi'n credu falle nag o'dd e o fardd. Roedd e'n gymeriad annwyl iawn.

Ond eich magwreth chi, yr hyn sy' wedi'ch siapo chi fel cymeriad, sy'n dod allan yn eich cerddi chi yn te, yn hytrach na'ch profiade chi yn y rhyfel.

Dwi'n credu bod hwnna'n wir. Dwi ddim yn canu am y rhyfel o gwbwl, oherwydd do'n i ddim yn hapus yn y cyfnod yna. Dwi'n credu bod dyn yn ffurfio'i gymeriad yn ifanc iawn a mae rhyw bethe sydd yn digwydd yn ei blentyndod yn sicr o ddod allan wedyn ymhen blynyddoedd ar ôl crisialu tu fewn ichi fel rhyw fath o win, mae e'n dod allan wedyn pan fyddwch chi'n hŷn . . . Ges i fagwraeth yn Pentre-cwrt fel o'ch chi'n dweud, magwraeth digon hapus ar y cyfan, ag roedd gyda fi fam dda iawn 'i gael. Os oes rhywun wedi cael gwell mam na ges i, wel mae e yn lwcus. O'dd hi'n fawr 'i gofal amdana' i.

Yr unig blentyn wrth gwrs am flynyddodd ontefe?

Ie, am rhyw ddeg mlynedd. Da'th Edwyn 'y mrawd wedyn. O'n i'n eitha balch gweld hwnnw, oddwn i'n blentyn unig iawn, a wyddoch chi beth, ma' hwnna siŵr

o fod yn dod allan yn fy marddonieth i. Dwi'n credu bo'
fi'n sôn yn y cerddi i blant – rheina yw'r peth gore dwi 'di
sgrifennu am wn i – dwi'n sôn fan'na am ofn y nos, a sŵn
yn y nos ac yn y blaen.

A'r dylluan.

Ie. A'r dylluan hefyd.

*Ac ma'r ofne 'na'n para, o'ch chi'n dweud yn rhywle, hyd heddi
am wn i.*

Am wn i nad y'n nhw . . . Chi'n gwbod doedd dim
goleuadau stryd . . . a hefyd roeddech chi'n gorfod mynd
allan yn y nosweithie. Wi'n cofio o'n i'n gorfod mynd i'r
Band of Hope a o'dd hi'n dywyll fel bola buwch, a o'n i'n
gweddio, o na drueni 'sa'r lleuad yn codi, ac wrth ddod
nôl o'dd y lleuad wedi codi, ond wyddoch chi o'dd 'i'n
wâth byth, o'n i'n gweld ryw gysgodion wedyn . . .

*Ond peth arall wedyn, ych chi'n sôn yn rhywle am yr ebilliwr
bach bach, yr ofn marwoleth, a hynny falle'n deillio o'r ffaith bo'
chi 'di gweld pobol wedi marw pan o'ch chi'n blentyn? O'dd e'n
arferiad wrth gwrs.*

Do, do, o'dd e'n arferiad ers llawer dydd i fynd â phlentyn
mewn i weld, yn enwedig os bydde perthynas wedi
marw. A dwi'n cofio'n iawn yr un cynta' weles i erioed,
roedd e'n berthynas pell i fi, a'r syndod mawr o'n i'n gael,
fel o'dd 'i wyneb e wedi dieithrio. Y dieithrwch 'na sy'n
perthyn i farwolaeth sy'n codi dychryn ar blentyn. Dwi
ddim yn gwbod a odi e'n beth da ne' beido i blentyn gael

edrych ar gorff marw. Dwi'n cofio edrych ar gorff marw mam-gu wedyn, a o'dd 'i wyneb hi rywsut wedi cadw'n go debyg i fel oedd hi pan oedd hi'n fyw, oedd hi'n wyth deg chwech ne' rwbeth yn marw, a wyddech chi beth trawodd fi wrth edrych arni hi oedd 'i dwylo mawr hi. Hen un fach dwt o'dd mam-gu, ond o'dd 'i'n gweithio mor galed o'dd dwylo labrwr gyda hi – hwnna trawodd fi pan edryches i arni hi druan. Na, ofn marwolaeth y'ch chi'n feddwl nawr, yr ebilliwr bach 'na. Y pry yn y pren ontefe. A wyddech chi ma'r hen bryfyn yna, y *Dutch Elm Beatle*, 'na bryfyn ofnadw yw hwnna ontefe. Ma'n debyg iawn, chi'n cysylltu fe â marwolaeth. Meddyliwch amdano fe'n gallu darostwng y coed mawr 'ma sy' wedi bod yn tyfu am ganrifoedd. A ma' hwnna, un ebilliwr bach fel'na, yn dod lawr o'r coed. Gan bod ni'n trafod y pwnc dipyn yn forbid yma, Beti, mae ofn marwolaeth wedi bod arna' i a falle bod y digwyddiad 'na yn 'y mhlentyndod i . . . er cofiwch, dwi wedi gweld llawer iawn o bobol wedi marw wedi hynny, a bod gyda pobol pan oedden nhw'n marw hefyd. Erbyn hyn rydw i'n bedwar ugen oed. Dyw e ddim yn pwyso fawr arna' i, na'dy. I ddweud y gwir wrthoch chi, dyw e ddim.

A wedyn, Iet Wen, ma'r olygfa 'ma 'da ni yn y meddwl o'r bwthyn bach to gwellt, y peth rhamantus 'ma. Wrth gwrs o'dd i'n fagwreth dlawd iawn?

Odd hi'n dlawd iawn, oedd. Gwehydd oedd fy nhad i, fel eich tad chithe Beti; hen waith oedd yn gofyn amynedd mawr iawn, ag yn mynd ar eich nerfau chi. Roedd yr hen wennol 'ma'n mynd yn ôl ac ymlân, nôl ac ymlân, nôl ac ymlân o hyd. Clitsh, clatsh. Wi'n cofio mynd i'r ffatri

droeon, mynd ar ryw neges i Nhad ne' rwbeth, a'r sŵn
byddarol 'ma yn y ffatri, a nhw'n gweithio dau wydd
wedyn. A o'dd eich tad yn gweud 'tho i bod nhw'n ennill
llai na gweithiwr ar y ffyrdd.

Eich ail record chi, chi 'di dewis Hiraeth am Gaernarfon.
Pam?

Wyddoch chi ma'r gân yma, er pan glywis i 'ddi gynta,
wedi'n hudo i rywsut ne'i gilydd . . . Cân wedi cael ei
llunio gan hen fardd o'r enw Siôn Gruffudd pan oedd e'n
brwydro yn Fflandrys. Ma'r gân a'r llais sy'n canu'r gân
wedi aros gyda fi fel rhyw fath o hudoliaeth . . .

* * *

Marilyn Haydn Jones yn canu Hiraeth am Gaernarfon. *Os
'dach chi hiraeth, Llew, am yr hen ddyddie fu?*

Dwi ddim yn un sy'n rhamantu fel'na. Cofiwch dwi wedi
canu rhyw benillion bach *Cwm Allt Cafan* – ma' rheina yn
hiraethu am ddyddiau a fu . . . Wi yn edrych yn ôl hefyd,
odw, ma' dyn yn hiraethu am ei blentyndod ac am ei
ienctid ag am bethe fel'na dwi'n siŵr o hynny.

*Achos mi fydda' i'n gofyn ar y rhaglen 'ma'n amal iawn am
fagwreth. Ai magwreth draddodiadol Gymraeg gawsoch chi, y
capel ontefe, a'r steddfod?*

O ie, y capel a'r steddfod a'r hen *Penny Readings* bach
'slawer dydd, fan'na y dechreues i lenydda. Roedd yr hen
gyrdde bach 'na'n llewyrchus iawn yn Pentre-cwrt, ger

Llandysul, lle ges i 'ngeni a magu. O'n nhw'n cael 'u cynnal yn yr ysgol lle roedden ni'n mynd, Capel Mair. Y capeli'n 'u cynnal nhw drw'r lle i gyd, roedd cymint o ddylanwad y capel arnon ni fel plant . . . Os bydde Enoc Jones, Llwyn Derw yn gweud, 'Ma' raid i ti neud rwbeth yn y cwrdd bach, y *Penny Reading* 'ma', o'n i'n neud e. O'dd e'n gwbod beth o'n i'n gallu neud. O'dd pawb yn trio neud rwbeth, a wi'n cofio ffrind i fi, o'dd e'n nerfus iawn ond o'dd llais canu da gydag e. O'dd e'n ifanc iawn, tua deuddeg, tair ar ddeg oed, a dwi'n cofio amdano fe'n canu ar lwyfan y *Penny Reading* 'ma, druan, a'r dagre'n llifo lawr 'i foche fe, ag o'dd e'n canu fel eos. Yr hen gyrdde bach 'na, o'n nhw'n hyfryd iawn, o'n i'n mwynhau nhw.

Ond wrth gwrs, eglwyswr y'ch chi ontefe?

Fues i yn eglwyswr, do, eglwys Llangeler yn gyntaf, a gadel yr Annibynnwyr. Dwi'm yn siŵr iawn beth o'dd yr achos am hynny, ond wedyn wrth gwrs fe es i'n ysgolfeistr Tre-groes, a fues i'n warden yn yr eglwys fan'na, eglwys Sant Ffraid am un cyfnod.

Y'ch chi'n mynd i'r eglwys nawr, neu i'r capel?

Nadw cofiwch. Dwi ddim. Ma'n ddrwg 'da fi ddweud. Er cofiwch dwi yn teimlo i'r byw pan glywa i fod capeli'n cau, ac eglwysi hefyd. Ma' capel 'da ni fan hyn, Bancyfelin, capel mawr cryf blynydde nôl, a wedi cau a wedi'i werthu. Ma'r peth yn creu tristwch yndda i, ond dwi'n ofni na dwi ddim yn gwneud rhyw lawer tuag at adfer y sefyllfa o gwbwl yntefe.

Alla i ofyn i chi pam?

Mae'n gwestiwn delicet iawn, hwnna. A gweud y gwir 'tho chi, dwi ddim yn gwbod a alla' i ddweud yn glir beth sydd yn fy meddwl i. Wyddoch chi, ma'r bobol Pentecostals yn dod ffor' hyn i guro'r drws nawr ac yn y man. Maen nhw'n dod unweth y mis i guro'r drws.

I drio'ch achub chi?

I drio'n achub i, ie. A dwi'n gwrthod dadle â nhw o gwbwl oherwydd wi'n dweud wrthyn nhw fod y peth mor bersonol, na dwi ddim yn fodlon ei drafod e gyda nhw. Maen nhw'n eitha cwrtais a phopeth, ond dwi ddim yn hoff iawn o drafod y broblem yna a gweud y gwir 'tho chi.

Ond y'ch chi yn credu?

Dwi'n credu rhyw bethe, odw. Dwi'n credu mewn rhyw bŵer uwch yn sicr a dwi'n credu y bydde popeth yn amhosibl oni bai am y pŵer hwnnw. Ar bwy lefel mae e'n gweithio 'dyn ni ddim yn gwbod. Dwi'n amheus iawn o ryw bŵer y gallwch chi weddïo arno fe am gymorth mewn cyfyngder. Ma' 'na gynifer ohonom ni trw'r hen fyd ma' 'i gyd yn filiynau ar filiynau ar filiynau, dwi ddim yn barod iawn i gredu 'na. Ond dwi'n credu bod 'na rhyw bŵer uwch sy' wedi ffurfio'r bydysawd a'r cread yma, ag falle wedi 'gneud hi'n bosibl i ni fodoli ar y blaned hon.

Bodoli ar y blaned hon. Os na fyd arall?

Oes siŵr o fod. Oes. Dwi'n credu.

Ych chi'n credu yn y byd a ddaw?

O nadw, dim hwnna, dwi'n credu bod bydoedd lle ma' pobol erill yn byw arnyn nhw, neu ryw fath o greaduried deallus yn byw. Na, dwi ddim yn rhyw gredu yn y byd a ddaw, nadw ddim. Wi'n cofio Sior 'Sger Wen, un o feibion y Cilie yn ŵr doeth iawn. Dwi'n cofio amdano fe'n dweud wrtho i pan o'n i'n trafod y cwestiwn yna. 'Wyddoch chi,' medde fe wrtho i, 'Mae meddwl am fyw byth yn creu dychryn arna' i'.

Ie, 'na beth yw realist yn te.

Wi gyda Sior 'Sger Wen fan'na, ydw.

A beth am y Gymraeg, fydd honno yn para?

Wyddoch chi beth, ynglŷn â'r Gymraeg, dwi'n teimlo'n fwy calonog na dwi wedi bod oherwydd mae 'na nifer fawr o bobol sydd o'u dewis eu hunen yn ddysgwyr y dyddie 'ma. Mynd i ddosbarthiade nos ac yn y blaen, a drychwch ar yr holl ysgolion cynradd Cymraeg sydd yn codi yn y gweithe lle'r oedd y Gymraeg wedi'i cholli. Dwi'n fwy gobeithiol am y Gymraeg, ond gobeithio fyddwn ni'n cael cadw'r S4C 'ma, oherwydd ma' hwnna'n bwysig iawn i barhâd y Gymraeg. Os bydd rhywun yn dwyn hwnna oddi wrthon ni'n awr fydd e'n angheuol wi'n credu.

I droi at Nadolig nawr te, shwt Nadolig fyddwch chi'n gael?

Wel, ma'r wraig wedi bygwth yn barod bod hi'n mynd i

rostio gŵydd inni . . . Ma' hi'n gogyddes dda iawn . . . a fydd potel o win go dda gyda ni a phlwm pwdin. Nadolig cyffredin fydd gyda ni.

Ry'ch chi 'di sgrifennu ambell i gerdd fach hyfryd am y Nadolig hefyd.

Wel dwi 'di sgrifennu un sy' dipyn bach yn *cynical* falle, sai'n gwbod, *Nadolig '66.* Mae'n hen erbyn hyn, hon. A dyma hi ichi os ca'i darllen 'i:

Pe genid heno'r baban
Yng ngwlad y Dwyrain draw
Ni phlygai mwyn fugeiliaid
Uwchben ei bram a'i law.

Ac ni ddoi tri o ddoethion
Tros erwau'r tywod poeth
Rhy fydol yw'r bugeiliaid
A'n doethion sy'n rhy ddoeth.

Pe gelwid mab i forwyn
I'r un anhygoel dasg,
Sgandal y geni gwyrthiol
A hawliai sylw'r wasg.

Ie wi'n credu mai fel ma' petha heddi.

Pethe wedi mynd yn fydol ond y'n nhw. Ydi hynny'n rhywbeth sy'n eich poeni chi?

Mae'r bydolrwydd 'ma yn fy mhoeni i, odi. A ma' nhw'n

beio Margaret Thatcher. Wi'n credu bod 'i'n cael gormod o'r bai fan'na, am y bydolrwydd 'ma. O'dd e 'di dechrau ymhell cyn bo' hi, yn doedd e? Ond y rhyfeddod yw, wrth gwrs, fod yr hen stori'r geni 'ma, mae yn mynd mlân â ni'n awr i'r Mileniwm nesa 'to. A felly ma' rhywbeth wedi aros yn does?

* * *

Yr wythnos hon T. Llew Jones y cricedwr o fri . . . Y gwyddbwyllwr a sefydlodd dîm Cymru. T. Llew yr addysgwr a'i ddawn fawr i ysbrydoli. Ac wrth gwrs Llew'r Prifardd, yr unig un i ennill cadair y brifwyl ddwywaith o'r bron. Drwy briodas fe ddaeth yn aelod o deulu'r Cilie a fynte ar ben 'i ddigon yn cael ymarfer 'i grefft a'i ddawn fel cynganeddwr yng nghwmni'r meistri 'Y Bois'.

Alun [Cilie] yn arbennig wrth gwrs – o'n ni'n gyfeillion mynwesol iawn. O'n i'n mynd i'r Eisteddfod Genedlaethol gyda'n gilydd bob blwyddyn.

Trueni na fyse 'na feicroffôn yn y car 'radeg honno ondefe! Achos fydde'r sgwrs siŵr o fod yn un ddifyr dros ben.

Bydde siŵr o fod. Ma' Alun wedi dylanwadu lot arnon ni ffor' hyn, Dic Jones a rhai o'r bechgyn erill 'ma. Roedd e'n sefyll yng nghanol y gymdeithas, yn gymeriad mawr, lliwgar. A pan o'dd e'n chwerthin, o'dd e'n chwerthiniad mawr iachus 'dag e. Ac roedd e'n fardd, ac yn ddyn diwylliedig ac yn ddyn doeth hefyd. Dylanwad beirdd y Cilie, Isfoel ac yn te yn ddau fardd gwych. Odden.

Achos wrth gwrs ry'ch chi 'di priodi i deulu'r Cilie, ond o'ch chi'n cynganeddu a phethe cyn hynny?

Oeddwn, oeddwn.

Ble oedd hynny 'di dechre?

Dechre gyda Dewi Emrys wnes i, yn y Babell Awen. Fan'na dysges i gynganeddu, ddysges i'n fuan iawn. Dwi wedi bod yn cynnal dosbarthiade wedi 'ny a ma' rhai pobol yn cael trafferth i ddysgu, ond roedd e'n dod yn weddol hawdd i fi, a wedyn cwrdd â Bois y Cilie, ac wrth gwrs, dod i gydnabod 'u gallu mawr nhw . . . O'dd Isfoel fel rhyw fath o ddyn wedi diangid o'r bymthegfed ganrif chi'mbod, o'dd wir i chi. O'dd e'n canu yn y modd yna . . . canu ryw gywydd i'r eog, 'Rhoist ar fy mord, lord o li, Etifedd ystad Teifi, Rhoist i mi gig rhost y môr', ac yn y blaen fel'na.

Yn dod fel 'se fe 'di siarad cynghanedd erioed.

Ie. 'Shwt y'ch chi'n gallu neud e mor gyflym?' fydden i'n gweud 'tho fe. 'Bachgen ma' geirie'n galw ar 'i gilydd gyda fi' medde fe. A dyna fe, dyna'r broses o gynganeddu chi'mbod. Geirie'n galw ar 'i gilydd, a Dic Jones nawr, y bois 'ma, cynganeddwyr cyflym, a oedd Tydfor fan hyn, cyn iddo golli'i fywyd druan â'r tractor, ac Alun Cilie . . . O'dd Alun Cilie, o'dd e'n barddoni wrth siarad â chi. Wi'n cofio amdanon ni'n mynd mewn i ryw dafarn yn Llandysul ar ryw ddiwrnod mart, o'dd e wedi bod yn gwerthu rhywbeth yn y mart falle, a ni'n mynd mewn i'r dafarn, o'dd e'n llawn, ag o'dd isie bob o lasied arnon ni chi'n gweld, a weles i *hatch* fach fan'na. 'Ma' twll bach fan hyn,' wedes i wrtho fe, 'falle gallwn ni gael glasied fan hyn'. O'n ni'n ffaelu cael dim wrth y bar ch'wel. 'O twll i ga'l peint allan' medde fe.

A o'dd e fan hyn rhyw dro wedyn yn dod â'i gar o'r Cilie, a o'dd dyn o'r enw Eser Evans, falle bo' chi'n cofio amdano fe, syrfewr, roedd hwnnw wedyn yn dod lawr ffor' hyn ar y lonydd cul 'ma, a Alun yn dod o'r Cilie, a dod rownd y tro nawr a bron taro mewn i Eser Evans. Agor y ffenest, 'Eser Evans, arafwch!' Dyna'r bywyd ddes i mewn iddo fe pan ddes i draw 'ma wedi priodi'r wraig a dod i fyw i'r cylch yma. Y math yna o fywyd oedd yn troi o gwmpas barddoni a chynghanedd ac yn y blaen.

Mae'n siŵr o fod yn ddigon hawdd i rywun fel chi i ddarllen cerdd o gynghanedd a sylwi os oes rhywun wedi bod yn gorfod gweithio'n galed ar y gynghanedd.

O odi, mae'n hawdd iawn. A chi'n gwbod, ma' cynganeddwyr hefyd, ma' rhyw stamp 'u hunen arnyn nhw. Ma' Dic nawr, os gwela' i waith Dic, wi'n nabod e. Sdim isie'i enw fe ar y gwaelod. Nabydden i falle waith Alan Llwyd hefyd, a Gerallt Lloyd Owen. Mae'u stamp 'u hunen gyda nhw arno fe. 'Na beth rhyfedd yw hwn'na. Dwi'm yn gwybod beth yw e, ond mae'n gelfyddyd ryfedd iawn ch'wel', y gelfyddyd o gynganeddu. Drychwch chi ar holl ugeinie os nad cannoedd o reolau, ac eto ma'r peth yn dod allan yn hollol heb feddwl am reolau pan fydden nhw'n cynganeddu.

O'ch chi'n dweud gynne mai'ch cerddi i blant o'ch chi'n meddwl oedd y pethe gorau sgrifennoch chi. Nid pawb fase'n cytuno wrth gwrs?

Na, falle na fydde nhw . . .

Dych chi ddim yn difrïo'ch gwaith eich hunan, gwaith y Prifardd felly?

Nadw, nadw. Ond rywsut ne'i gilydd wyddoch chi, ma'r cerddi bach 'ma wi wedi neud i blant, wi'n credu falle byddan nhw byw ar ôl y pethe erill 'na. Meddyliwch chi nawr, ma' Dewi Emrys wedi ennill pedair cader genedlaethol. Faint o'i waith e sydd byw? Dwi ddim yn tynnu oddi wrth werth y cerddi 'na, ond maen nhw'n tueddu i ddyddio a mynd i golli. Falle bydd y cerddi plant 'ma dwi 'di ysgrifennu, falle byddan nhw yn fyw ar ôl i'r farddoniaeth arall farw. Dyna dwi'n deimlo.

Ac eto, yn y cylch 'ma mae 'na weithgarwch mawr ar hyn o bryd on'd o's e, yn ymwneud â chynganeddu a barddoni.

Oes mae e. Mae gwesty'r *Emlyn* fan hyn lawr y ffordd rhyngon ni â Gogerddan fan'na, ma'r beirdd yn cwrdd fan'na nawr yn y gaea 'ma bob wythnos wi'n credu. A mae 'na gwmni yn dod ynghyd os fydd 'na ryw ddathlu o gwbwl . . . Ges i 'mhenblwydd fel o'n i'n dweud yn bedwar ugain, o'dd rhaid i'r beirdd gael 'y nghyfarch i fan'na. Llond y lle o feirdd a 'na hwyl 'yn ni'n ga'l.

A beirdd y cylch oedd rhain?

Beirdd y cylch, ie. A wyddoch chi, allan nhw gynnal noson fan'na ond i chi weud 'thyn nhw, rhoi rhyw lwybr iddyn nhw, allen nhw gynnal noson ddifyr fan'na, dim ond y beirdd lleol. Gwyn eu byd nhw. Trueni na 'sen i'n iau.

Faint o wragedd sy'n 'u plith nhw nawr erbyn hyn?

O ma' rhai, oes, ma' tair ne' beder ohonyn nhw o leiaf yna. Oes, chwarae teg.

Ond prin y'n nhw o gymharu â dynion ondefe?

Does dim merch wedi ennill y gader genedlaethol 'to.

Achos . . . r'ych chi 'di dod i drwbwl unwaith o'r blaen wrth gwrs am beidio cynnwys gwaith gan ferched yn beth Casgliad o Gerddi '79?

Do. Ddes i drwbwl am reswm arall fan'ny hefyd wi'n cofio. O'n i wedi osgoi rhoi mewn gerddi gan feirdd tywyll. Ow, ges i 'meirniadu'n ofnadwy am hwn'na. Ac yn y rhagair roedden i wedi dyfynnu rhywbeth o'n i wedi'i ddarllen o waith Pasternak, y nofelydd Rwsiaidd 'na. O'n i 'di darllen rhywbeth yn Saesneg o'dd e wedi sgrifennu pan o'dd e'n ifanc ondefe. *'Mostly we wrote obscure verse,'* medde fe, *'mainly because we had nothing much to say'*. A rois i hwnna mewn. Ow, ges i drwbwl a row obytu hwnna.

'Ma ni'n dod at ein record nesa ni, a chi 'di dewis Brad Dynrafon. *Nawr te, pam y'ch chi 'di dewis?*

Ma hwn yn gysylltiedig â'r hen eisteddfodau y'n ni wedi bod yn siarad amdanyn nhw. Dyna un o'r solos fydde'n cael 'u canu. A wyddech chi ma' stori tu ôl y geirie, 'Ar graig Dynrafon uwch y dwfn y sâi'r môr-leidr cry', Gan edrych dan ei guchiog ael ar donnau'r dyfnder du'. Wel y stori oedd, roedd 'i fab e wedi mynd ar daith i Ewrop, fel o'dd pobol gyfoethog 'slawer dydd yn anfon 'u plant i orffen 'u haddysg trwy wneud rhyw *tour* o'r Cyfandir. Roedd y mab 'ma wedi mynd, ag o'dd e'n disgwyl e'n ôl, ond y noson stormus yma roedd yr hen ŵr bonheddig 'ma yn llongddrylliwr – hynny yw, roedd e'n defnyddio goleuadau i ddenu llongau i'r traeth chi'n gweld. Roedd y llong 'ma wedi dod, o'dd e wedi gweld hi fan draw a dangos y goleuadau a'i denu hi a fe darodd y creigiau. Ond roedd 'i fab ar y llong 'dach chi'n gweld. A wyddech chi dwi'n hoff iawn o'r hen gân yna oherwydd yr oedd hi'n rhan o'r nosweithie 'slawer dydd . . .

Ond mae'r stori yna, wi'n cymryd diddordeb mawr yn y peth oherwydd roedd 'yn dad-cu a mam-gu yn byw yn Porth Tywyn a Penbre fan'na, a fan'na hefyd o'dd y llongddryllwyr, fan'na wedyn gwŷr y bwyelli bach. A ma' 'na stori'n cael 'i dweud, bod rhyw long wedi glanio fan'na a lot fawr o win yn'ni. Ag o'n nhw wedi meddwi nawr, yfed y gwin 'ma, ag o'dd un hen wraig fach 'di joinio mewn gyda'r lleill a yfed y gwin ma, ag o'dd hi 'di mynd i gysgu ar y traeth. A wyddech chi beth, da'th y bore a'r llanw'n dod mewn, a fe ath ton fach dros 'i wyneb hi fan'na, a agorodd 'i llyged, 'Na dwi'm yn mo'yn rhagor diolch, wedi cael digon' medde hi. Hen stori yw honna, sa'i'n gwbod os yw hi'n wir!

* * *

O'na rywun yn dweud amdanoch chi y byddech chi'n fwy cysurus yn whites *cricedwr nag yng ngwyn aelod o'r Orsedd.*

Odi hynna'n wir?

Rydw i'n credu mai Gwilym Thomas sy' wedi gweud hynna ife, ysgolfeistr Llannon . . .

Odi e'n wir, 'na beth wi eisie gwbod?

Yr *oedd* e'n wir beth bynnag. Yr oedd e'n wir oherwydd roeddwn i pan o'n i'n ifanc yn gricedwr. Bowliwr llaw chwith . . .

Tipyn o Richie Benaud, o'n i'n clywed.

Ie, rywbeth tebyg i hynna. Roedd gyda ni dîm criced i gael yn Pentre-cwrt 'slawer dydd. Ond doedd gyda ni ddim y wicedi llyfn 'ma fel bwrdd biliards neu bwrdd snwcer. O diar nag oedd.

Nagoedd glei.

Ag o'n ni'n cael caniatâd i chwarae ar ddôl Cwrt gerllaw afon Teifi, ffarm o'dd y Cwrt, ag ro'n ni'n cael benthyg y ddôl yna i chwarae, ond roedd y gwartheg yna 'run pryd â ni. A bydde'r bêl yn disgyn yn amal iawn mewn . . . chi'n gwybod . . .

. . . yn 'i ganol e!

Ie, un o'r rheina. Mae'n gêm dwi wedi ymhyfrydu ynddi erioed a gweud y gwir. Fues i'n bowlio amser y rhyfel. Bues i yn yr Aifft, fe gês i chwarae criced fan'na, pan oedd y rhyfel mlaen hyd yn oed. Wel nawr, dod nôl at Pentre-cwrt a'r ddôl 'ma. Rhywdro fan'na fe fowlies i'n well nag arfer ag fe fowlies i wyth o chwaraewyr allan am rhyw ddeuddeg rhediad. Ar y cyfnod yna roedd y *News Chronicle* yn rhoi gwobr o fat i rywun oedd yn gallu profi bod e wedi neud rhyw orchest yn y gemau bach yma, y *village green* ontefe. Roeddwn i'n awr yn awyddus i hala hwn mewn, o'dd rhaid ichi hala y dudalen oedd â'r cyfrif arno fe, y *score sheet* mewn o'r llyfr criced. A bues i at yr ysgrifennydd trannoeth nawr wedi meddwl licen i neud 'na, ond o'dd e wedi anghofio'r llyfr – 'di adel e ar ôl yn y cae noswaith cyn 'ny. A pan aethon ni lawr i edrych amdano fe, o'dd buwch Cwrt wedi byta lot o dudalennau, gan gynnwys gwaetha'r modd yr un o'dd yn dangos bod fi wedi cymryd wyth wiced am ddeuddeg rhediad. Ma' hwnna'n wir i chi, berffaith wir.

Ond allech chi fod wedi chware i'r MCC?

Wel wyddech chi ddim Beti, se'n i'n cael y bat 'na!

Ond wedyn fe ddwedwyd amdanoch chi, unwaith i chi ddechre chware gwyddbwyll, fuoch chi rioed 'run fath wedyn.

Naddo, na sa'i'n credu do fe.

Wel, beth sy' tu ôl i hyn 'de, achos oedd honno ddim yn gêm o'n nhw'n chware yn Pentre-cwrt 'slawer dydd o'dd e?

Nagoedd, nagoedd. Ma' stori'r gwyddbwyll yn rhyfedd iawn eto. Gwaetha'r modd roedden i'n ganol oed pan ddechreues i chwarae. Pan ddes i'n ôl o'r Eidal, pan gaeson ni'r cwch fel o'n nhw'n gweud, 'When you get the *boat'* ontefe, o'dd pawb yn edrych ymlaen at hwnna ar ôl treulio blynydde mâs fan'na. O'dd ffrind o'dd yn rhannu pabell gyda fi, o'dd e wedi cael y cwch o 'mlaen i, ag o'dd e'n paco'i bethau nawr i fynd 'dach chi'n gweld. Ag roedd bocs fach gyda fe fan'na, a wedodd e *'I haven't got room for this, do you want it?'* A 'na beth o'dd 'i o'dd set wyddbwyll fach. O wedes i *'Leave it there'*, a bant ag e. Wel pan gês i'r cwch nawr te, fe ddes i gartre â'r bocs bach 'ma 'da fi. A wedi 'ny . . . wi'n cofio trannoeth neu ail trannoeth Nadolig oedd hi a oedd Iolo yn grwt bach 'bytu wyth neu naw oed, ag oedd e wedi blino â'i deganau a dynnes i'r hen set fach 'ma mas. Ag wedyn trio'i chware hi, a dim un o'n ni'n gwybod ffordd. Wel, wedyn trannoeth neu ail trannoeth, o'dden ni'n mynd i'r dre ac fe brynes lyfr yn dangos ffor' i chware'r gêm. A fe ddechreuon ni chware. A wyddech chi mewn obytu wythnos, o'dd Iolo'n 'y nghuro i bob tro. O'dd e'n gallu gweld y peth o 'mlaen i. Dyna sut dechreuodd y gwyddbwyll. Ond erbyn heddi, Beti, ma' gwyddbwyll yn bwysig iawn i fi.

Y'ch chi'n chware yn fwy nag erioed felly?

Dim mwy nag erioed falle, ond dwi wedi cael rhyw anrhydeddau ym myd gwyddbwyll hefyd. Dwi'n Is-lywydd Undeb Gwyddbwyll Cymru, yn Llywydd Gwyddbwyll Dyfed, a hefyd fe ges i'r fraint o fod yn gapten tîm Olympaidd Cymru yn Nice, Ffrainc, flynyddoedd yn ôl nawr. Wedi 'ny fe ges i'r fraint hefyd o fod yn gapten tîm merched Cymru, yn mynd i Israel. Fuon ni'n Israel, ar Fynydd Carmel.

Pam o'ch chi'n ca'l bod yn gapten ar dîm y merched?

Ie gwedwch chi, o'dd 'na fachan arall isie neud e, ryw grwt ifanc. O'dd e'n ddig iawn bod fi'n cael mynd. O'dd e'n gofyn i fi wedyn – Sais o'dd e – *'What qualifications have you got then that I haven't got?'* wedodd e wrtho i. *'I'm over sixty-five,'* wedes i wrtho fe.

Y'ch chi'n fodlon cydnabod 'te bod merched yn gallu chware gwyddbwyll?

O odyn, mae rhai da iawn 'da ni nawr i gael yng Nghymru 'ma.

Ma nhw'n well chwaraewyr gwyddbwyll nag y'n nhw o feirdd?

Wi'n credu bod gobeth yn y maes 'na gyda chi, oes, mwy o obeth, falle, na sy'n maes barddoniaeth, dwi ddim yn siŵr! Ha-ha.

A wedyn ma' Iolo y mab wrth gwrs, mae e wedi gwneud yn aruthrol.

Odi, yn chwaraewr rhyngwladol, odi odi.

Mae'n cynrychioli Cymru o hyd?

Odi. Mae e wedi cynrychioli Cymru ddeuddeg neu dair ar ddeg o weithie. Pob dwy flynedd ma' nhw'n cynnal yr Olympiad, a ma' fe wedi chware ym mhob un ohonyn nhw . . . Mae e wedi bod ar draws y byd i gyd, wedi bod yn Moscow ddiwethaf nawr, De America, gwlad Groeg;

mae wedi bod yn dros y lle i gyd yn chware.

Ai'r gallu i weld ymhell mae rhaid i chi gael i chware gwyddbwyll yn dda?

Ie, dwi'n credu. Mae gweld ymhell yn sicr yn help, a gweld hefyd y cysylltiad rhwng safle darnau ar y bwrdd, y cysylltiad all fod rhyngddyn nhw. Mae'n beth clefer iawn.

Y gynghanedd?

Chi'n iawn Beti, y gynghanedd. 'Na fe yn wir i chi. A ma' nhw'n gweud bod mathemategwyr yn chware gwyddbwyll yn dda iawn. A wedyn yn rhyfedd iawn ma' nhw'n dweud bod cyfansoddwyr cerddoriaeth hefyd yn dda iawn am chware gwyddbwyll.

Eich record nesaf chi. Chi 'di dewis Aled Lloyd Davies yn canu cerdd dant arbennig iawn?

Ie. Mae'n canu rhyw hen gân fach, o'n i'n meddwl tipyn ohoni pan lunies i 'ddi. A ma' hi 'nghlwm wrth 'y nghyfnod i pan o'n i'n ysgolfeistr Tre-groes. O'n i'n mynd lawr dros y rhiw o Bwlch-y-groes i Tre-groes ag wrth bo' fi'n croesi'r bont, pont fach dros afon Cerdin, roedd 'na goeden fedwen yn tyfu fan'na yn ymyl y dŵr, un fach, o'dd hi'n syth iawn. O'dd 'i'n hardd iawn yn 'i gwyrdd yn y gwanwyn ag yn yr haf wedyn o'dd 'i'n llawn dail, ac yn yr hydref o'dd 'i'n euraid, chi'mbod, y dail 'ma, ag o'dd 'i'n edrych wedyn yn y gaeaf mor llwm, ag o'n i fel 'sen i'n gweld bywyd gwraig yn 'i thymhorau hi, chi'mbod,

gwanwyn, haf, hydref, gaeaf, a fe roddwyd y gân fach yna
ar gerdd dant, a mae Aled yn 'i chanu hi'n hyfryd iawn.

I lawr yng Nghwm Cerdin
Un bore braf gwyn,
A Mawrth yn troi'n Ebrill
A'r ŵyn ar y bryn;
Ni welais un goeden (ni welaf rwy'n siŵr),
Mor fyw ac mor effro,
Mor hardd yn blaguro,
Â'r fedwen fach honno yn ymyl y dŵr.

* * *

Fu'n raid i chi ddefnyddio'r wialen fedw o gwbl fel athro Llew?

Naddo, wi'n gallu dweud â'n llaw ar 'y nghalon na
ddefnyddies i ddim o'r gansen o gwbwl, er bo' fi wedi
cosbi droeon. Do. Rhyw fonclust fach nawr ac yn y man.
Shifflad fach falle hefyd. A dwi'n credu yn onest bod isie
rhywbeth bach bob yn awr ac yn y man i gadw trefen ar
ambell i blentyn bach sy'n mynd dros ben llestri. Ond ar
wahân i hynny mae rhyw naw deg pump y cant yn 'y
mrofiad i o blant bach yr ysgol na 'sdim isie dim byd ond
gair i'w distewi nhw neu i gael trefen arnyn nhw. Ond pan
es i i ysgol Coed-y-bryn, roedd hi'n ysgol fach weddol
fodern, brics coch, a roedd *stock room* gyda ni – peth nag
oedd yn lot o ysgolion yn y cyfnod hynny, ag yn y *stock
room* pan es i yna 'radeg hynny, fe ddarganfyddes i ryw
ysgub fach o wialenni cosb, cansen. Rhyw chwe chansen
mewn pecyn bach, a o'ch chi'n gallu ordro nhw yn y
dyddie 'ny oddi wrth y bobol 'na E.J. Arnold. Oddi

wrthyn nhw o'n ni'n ordro popeth i'r ysgolion pryd 'ny. A o'n nhw'n gweud *'punishment canes, so and so'* yn y catalog ondefe. Ond ddefnyddies i ddim un o'r rheina. Fe dynnes i un mas ryw dro a'i rhoi 'ddi ar y desg ar gyfer rhyw grwt oedd wedi troseddu mwy nac arfer, ond ddefnyddies i ddim o'ni. Naddo. A wi'n falch na ddefnyddies i hi. Ond cofiwch chi dwi ddim yn falch – a dwi'n caru plant, wi'n gweud hynna'n onest – dwi ddim yn falch fod pob cosb wedi mynd allan o'r ysgolion. Dwi ddim yn credu bod hwnna yn beth da o gwbwl . . . A fe garen i ofyn i'r bobol yna sy'n dweud na 'sdim cosbi i fod o gwbwl, garen i wybod beth ma' nhw'n mynd i neud â'r bwli yn yr ysgol. Nawr hwnna fuodd y broblem gyda fi erioed, fydde 'ne un neu ddau o blant fydde'n gormesu plant bach llai na nhw. Nawr cosb oedd yr unig beth hyd y gwn i oedd rheina yn ddeall.

Ych chi'n athro wrth reddf?

Wel, falle bo' fi. Dwi'n hoffi bod gyda plant ag wi'n 'u deall nhw'n well nag ydwi'n deall pobol mewn oed, ma' plant yn apelio ata' i. Ydyn.

Gwedwch chi'n awr bo' chi'n meddwl am yrfa heddi, er bod pethe wedi newid tipyn o ran disgyblaeth a phopeth, fysech chi nawr yn dewis mynd yn athro?

'Sen i'n mynd yn ôl at yr un swydd. Bydden, oherwydd dwi'n credu ma' hwn'na oedd y gwaith dwi'n gallu neud orau. Dysgu plant a bod gyda plant.

Ych chi hefyd wedi ca'l hwyl arni 'i ddysgu beirdd?

Do! Dwi wedi bod yn cynnal dosbarthiade. A ma' lot o'r beirdd 'ma sy' wedi dod yn Brifeirdd erbyn hyn, mae'n dda gyda fi ddweud . . . Ma' nhw'n barod iawn i gydnabod 'u dyled i'r hen athro!

Y'ch chi 'di dewis y Pysgotwyr Perl *fel ych record ola' chi. Alla' i ofyn i chi, ydi bywyd yn 'berl' yn eich barn chi? Ydi e'n rhywbeth gwerthfawr y dylen ni i gyd neud yn fawr ohono 'te?*

Dwi'n credu fod e. Dwi'n ddiolchgar iawn 'mod i wedi cael bywyd llawn iawn ontefe . . . Mae 'na gymint o bethe wedyn dwi wedi gallu cysylltu â nhw. Dwi'n hapus iawn.

Os na rywbeth ar 'i hanner 'da chi?

Oes. Ma' gyda fi nofel ar 'i hanner ers tair ne' beder blynedd i ga'l, yn ymwneud â chyfnod y Brenin Arthur, a dwi'n ofni na ddaw hi byth i ben oherwydd mae tair blynedd yn gyfnod hir iawn a finne ddim wedi 'sgrifennu dim ar gyfer plant . . .

O falle ddaw hi?

Na ddaw, sa'i'n credu . . . Weda'i 'tho chi pam, yn glir iawn ac yn blaen iawn, ma' ffynnon y dychymyg wedi sychu 'da fi.

Alla' i ddim meddwl am hynny o siarad â chi heddi ontefe, ma'r dychymyg mor fyw ag erioed 'sen i'n dweud.

O diolch yn fawr i chi.